JN261039

児童養護施設と社会的排除

家族依存社会の臨界

西田芳正 編著
妻木進吾・長瀬正子・内田龍史 著

解放出版社

児童養護施設と社会的排除
家族依存社会の臨界

目次

序　章　児童養護施設経験者調査の経緯と本書の概要
　　　　　　　　　　　　　西田芳正　3

第1部　生育家族と施設生活

第1章　頼れない家族／桎梏としての家族
　　　生育家族の状況
　　　　　　　　　　　　　妻木進吾　10

第2章　児童養護施設での生活
　　　　　　　　　　　　　長瀬正子　40

第2部　学校から職業へ

第3章　施設の子どもと学校教育
　　　　　　　　　　　　　西田芳正　74

第4章　高学歴達成を可能にした条件
　　　大学等進学者の語りから
　　　　　　　　　　　　　長瀬正子　113

第5章　児童養護施設経験者の学校から職業への移行過程と職業生活
　　　　　　　　　　　　　　妻木進吾　　133

第3部　差別とアイデンティティ

第6章　児童養護施設生活者／経験者のアイデンティティ問題
　　　　　　　　　　　　　　内田龍史　　158

第7章　児童養護施設生活者／経験者の当事者活動への期待と現実
　　　　　　　　　　　　　　内田龍史　　178

終　章　家族依存社会、社会的排除と児童養護施設
　　　　　　　　　　　　　　西田芳正　　197

文献　207

序章

児童養護施設経験者調査の経緯と本書の概要

西田芳正

1 児童養護施設との出会い

　本書のタイトルに、「家族依存社会」、「児童養護施設」、そして「社会的排除」という3つの言葉を並べた。「家族依存社会」が意味するところは本書の論述全体を通して理解されるだろう。ここでは、排除状態に追いやられた若者たちとの出会いから児童養護施設の存在を知ることになった経緯をふりかえり、本論を読み進む前提として施設についての簡単な解説をしておきたい。

　執筆者のうちの3名(内田・妻木・西田)は、さまざまな形で不利、困難な状況にある人々の生活を研究テーマとしてきた社会学研究者であり、2003年に中卒や高校中退で半失業の状態にある若者に対する生活史調査を行う機会に恵まれた。その成果は『排除される若者たち』(部落解放・人権研究所編, 2005)としてまとめているが、この調査を通して、家庭、学校、労働市場のそれぞれにおいて不利な条件に置かれ、親と同様の困難で不安定な生活に至る若者たちに出会ったのである。

　その後、「不利が不利を呼ぶ」悪循環のループに囚われた人々が多様な形で存在しているという事実に気づかされていったのだが、そのなかでも特に私たちの関心を引きつけたのが児童養護施設で生活する子どもたち、施設を離れて社会に出ていく若者たちの姿であった。子どもたちを支えようと奮闘する中学校の教員から、そして、編者の勤務校で大学院生として学んでいた長瀬からも、施設で生活し社会に出ていく子どもたち／若者たちの置かれた状況について多くを教えられた。非常に厳しい条件のもとで生まれ育ち、親

を頼ることができず、施設に措置された後も不十分なサポートしか提供されていない、そんな彼／彼女らは、日本社会で最も厳しい形で排除を経験してきたといわなければならない。その実態を広く伝え、そうした現実を生み出す条件を明らかにしていくことは、児童養護施設をめぐる問題への寄与だけではなく、今日の日本社会のあり方を捉える重要な切り口ともなるはずだと私たちは考えている。

　それでは、児童養護施設とはいかなる場所なのだろうか。「親の死亡や行方不明、離婚、長期入院、貧困、そして遺棄や養育拒否、虐待・ネグレクトなど、保護者の身体的、経済的、社会的、心理的要因による児童の養育環境の破綻や児童本人の心身状況から保護者による家庭での養育に限界をきたすなど、保護者・児童の一方または双方の理由」がある場合に、「生来の家族による養育」に代わって子どもを養育することを「社会的養護」と呼ぶが[1]、その機能を主として果たしているのが児童養護施設である。

　施設数は、2010年6月現在で全国に579カ所、約3万人の子どもたちがそこで生活している[2]。児童養護施設に関する多くの文献があり、先行研究はそれぞれの章で適宜紹介されるが、コンパクトな案内書として児童養護研究会編（1994）があり、また、歴史と現在の状況を詳細に描いた英国の人類学者によるモノグラフを薦めておく（Goodman, 2000=2006）。

　私たちは、児童養護施設で生活している子どもたち、施設を離れた若者たちの姿を「排除状態の典型層」として、そして、「排除型社会」とも呼ぶべき今日の日本社会の姿をクリアに描くことができる切り口として重要な存在と認識しており、その実態を捉えるための調査手法として採用したのが生活史インタビューである。生まれ育った家庭のあり方、学校教育経験、施設での生活と施設を出た後の仕事や暮らしについて、経験者本人に語ってもらい聞き取る作業を進めていった。

2　調査の概要と対象者のプロフィール

　12名の調査対象者には、施設経験者の支援活動に参加している人、施設職員、中学校の教員に紹介をお願いして出会うことができた。ふりかえることもつらい経験も含めてこれまでの人生を語っていただけたのは、紹介者の方に聞き取りの場に同席していただいたことが大きい。インタビュー後のフォロー、成果の公表に際して引用部分を本人に確認していただく作業にあたってもご尽力いただくなど、調査研究を進めるにあたって紹介者の存在が非常に重要なものであった。

　実際の聞き取りは、1時間半から3時間ほどの間、生育家族、施設経験、学校経験と施設を離れてからの生活について自由に語っていただき、こちらがあらかじめ用意している質問項目についても言及していただくよう適宜質問を差し挟むという形で行った。実施時期は2005年から2007年である。

　調査協力者のプロフィールを次ページに示す。年齢は、調査時点での年齢である。

　本論でも言及されるが、12人の対象者は、施設経験者のなかでは比較的高い学歴を得た人が多く、また、紹介者との間に関係が維持されているという点からは頼ることのできる資源を保持している人だということもできる。12人の語りから施設経験者の置かれた状況を類推するに際して、相対的に恵まれた人の経験である点が留意される必要がある。ただし、「恵まれた」人たちですら、多くの困難を経験し、今日においても不安定な状況に置かれているケースが多いことから、他の多くの施設経験者の状況を推し量ることができるだろう。

　なお、生活史調査と並行して、施設の子どもたちが通学する小中学校の教員に実践報告を行ってもらうプロジェクトを進め、その成果はすでに報告書にまとめている（部落解放・人権研究所編，2008）。

表　調査対象者のプロフィール

ID	年齢	性別	最終学歴	現職	暮らし方	入所経過	入所期間	施設形態
A	18歳	女性	高卒	接客業（アルバイト）	親戚宅に同居	父子家庭・経済的困難	中3〜高3	大舎制
B	26歳	女性	短大卒（保育科）	障害者施設職員（正規）	妹と同居	父親死亡・母親行方不明・経済的困難	中2〜高3	大舎制
C	22歳	女性	四大卒（社会福祉学科）	教育施設（アルバイト）	ひとり暮らし	父子家庭・経済的困難	乳児院から措置変更〜高3	大舎制
D	22歳	女性	専門学校卒（看護科）	正看護師（正規）	ひとり暮らし（寮）	父子家庭	5歳〜高3	大舎制
F	29歳	男性	四大卒（社会福祉学科）	児童養護施設職員（正規）	結婚し、家族と同居	父子家庭	乳児院から措置変更〜19歳	小舎制
G	21歳	女性	専門学校卒（保育科・夜間）	保育士（契約）	親戚宅に同居	母子家庭・経済的困難・母親による虐待	中3〜高3	大舎制
H	24歳	女性	高卒	接客業・アパレル関係（アルバイト）	ひとり暮らし	父親による虐待	高1〜高3	大舎制
I	19歳	男性	高卒	予備校在籍	父と同居	両親別居・不登校	中2〜高3	大舎制
J	31歳	男性	専門学校卒（保育科）	児童養護施設職員（正規）	結婚し、家族と同居	非行・不登校	中学時代に1年半	大舎制
K	31歳	女性	高卒	工場	ひとり暮らし	家族員間の不和	乳児院から措置変更〜高3	大舎制
L	23歳	女性	四大卒（保育系）	接客業・飲食（アルバイト）	ひとり暮らし	両親離婚（父子家庭）	4歳から中2、家庭引き取り	大舎制
M	21歳	男性	専門学校卒（看護科）	准看護師（正規）	ひとり暮らし（寮）	母子家庭・震災による家の倒壊	小2〜高3	大舎制

※「大舎制」「小舎制」は施設におけるケアの形態を指す。2章を参照。

3　本書の構成

　12人の語りに他の調査研究の知見も加味しながら分析を進めていくが、その際、施設で生活し社会に出ていく子どもたち／若者たちの生活史に沿って本書を構成している。まず、生まれ育つ家庭生活の特徴を描き、その後の施設での生活、施設から通う学校での経験について検討した後、教育達成、地位達成について、つまり、学歴取得と職業生活への移行の実態を検討する。
　さらに、施設で生活した経験を持つ人々のアイデンティティ形成と当事者の社会運動についてテーマとする章をそれぞれ用意した。周囲からの偏見など困難の多い社会を生き抜き、状況を改善するうえで、大きな意味をもつテーマであると私たちが考えているためである。そして最後に、施設で生活する子どもたち、経験した若者たちの存在を社会全体の文脈に置き直して本書の議論をふりかえる終章を設ける[3]。
　本書は、本人の了承が得られた範囲で、語りをそのままの形で引用している部分が多い。本論に先立って、対象者の語りを私たちがどう受け止めているのかについて記しておく。
　語りを通して描かれるのは、生まれ育つ家庭、学校、施設での暮らしとその後の生活に、幾重にも折り重なる困難と不利な条件があり、それに追い打ちをかけるように偏見や差別の目も向けられる、そうした経験である。その、文字どおり重い現実を広く伝えることが重要な意味をもつと私たちは考えている。
　そして同時に、「私たちはかわいそうな存在なんかじゃない」という語りも印象的であった。重い現実を、そして周囲からの憐れみと特別視するまなざしをはねかえす強さを読み取ることができるだろう。
　もう一点、私たちにそうした経験が語られた、そのこと自体がもつ意味についても考えてみたい。親の存在、家庭のこと、施設に至る経緯とそこでの暮らし、そして自分自身について、答えの見つからない自問を繰り返していたことが本書で何度も描かれる。それらに、自分のなかで答えを出し、ある

いは手がかりを見つけ出したからこそ、私たちにその経験を語ることができたのだろう。そして、その過程で支えとなった人がいたことも読み取れる。今回、紹介者となった施設職員や学校教員は、対象者に寄り添い、自分自身に向き合うことを促してきた存在であり、他にも、対象者が出会った人々とのつながりが、先に記した強さを可能にしたことがわかる。本書に採録した語りのなかには、そうした経緯がうかがえる部分がいくつもある。

　そうした語りを通して、施設で暮らした経験を持つ若者たちに読者自身が出会う、そんな経験を提供できれば、本書のねらいは十分達成されたといえるだろう。

※本研究は、2005〜2007年度科学研究費補助金（基盤研究(C)）「低階層・マイノリティの子ども・若者の『学校における排除』と『社会的排除』」、2009〜2011年度の同補助金「貧困・不安定家族出身者および児童福祉施設経験者の排除型移行過程と社会的支援」、日本証券奨学財団研究調査助成金からの資金を得て行われた「児童養護施設出身者の生活史調査——「子ども・若者と社会的排除」の事例研究」、部落解放・人権研究所が大阪府人権教育啓発事業推進協議会から受託して実施した「児童養護施設経験者に関する調査研究事業」の研究成果である。

注

（1）『社会福祉用語辞典（第6版）』（ミネルヴァ書房，2007年）所収の「社会的養護」の解説。
（2）児童養護施設で生活するのは18歳までの子どもであり、このうち0〜1歳は乳児院に措置される。また、高校等での就学を継続する場合には18歳まで施設で生活し、中卒で就職する場合は15歳で施設を離れる。なお、就職が決まらないケースについては自立に向けた支援を継続する場合がある。
（3）児童養護施設は、その多くが「○○学園」など「学園」という名称をもつことが多い。そこで、本書の論述では、「学園」あるいは「施設」といった言葉で児童養護施設を表していく。

第1部

生育家族と施設生活

第1部

第1章

頼れない家族／桎梏としての家族
生育家族の状況

妻木進吾

　児童養護施設経験者が施設に入所することになったのは、彼／彼女ら自身に問題があったからというよりも、その家族が何らかの問題を抱え、結果、彼／彼女らが社会的養護を必要とする状況に至ったからである。

　では、児童養護施設経験者が生まれ育った、あるいは彼／彼女らを育てることができなかった家族とはどのような家族だったのか。本章は、彼／彼女らが施設に入所するに至る原因・背景となった家族の状況について描き出すことを試みる。それは、施設での生活や学校経験、学歴取得の状況や職業生活の実態、さらには彼／彼女らのアイデンティティや当事者の社会運動――本章に続く各章で取り上げられるこうした課題を検討する際の出発点、あるいは前提を明らかにする作業である。

　結果、浮かび上がってきたのは、経済的困難・貧困、家族構成の不安定・不定形さ、さらには親の疾病・障害や精神的不安定さ――これらさまざまな不安定さ、困難さが、それぞれが原因となり結果となる形で分かちがたく結びつきあった家族の姿であった。こうした家族のありようは、しばしば家族関係における困難さとも結びついており、なかには虐待を経験している人もいた。彼／彼女らは、こうした家族や家族関係におけるさまざまな困難さが「これでもか」と重層化し絡み合っていく過程の末に、施設に入所するに至ったのである。それは、入所後の彼／彼女らにとって家族が、頼りにすることができないだけでなく、時には桎梏（しっこく）――手かせ足かせ――とさえなることを意味している。

はじめに

　児童養護施設とは、「保護者のない児童、虐待されている児童その他環境上養護を要する児童を入所させて、これを養護し、あわせて退所した者に対する相談その他の自立のための援助を行うことを目的とする施設」（児童福祉法第41条）である。この目的に示されているように、児童養護施設経験者が施設入所に至ったのは、生育家族が何らかの問題を抱え、社会的な養護を必要とする状況にあったからである。では、彼／彼女らの生育家族が抱える問題、社会的な養護を必要とする状況とはいかなるものであったのか。厚生労働省は、1952年以降、児童養護施設入所児童の実態調査を実施しており、入所理由を選択肢の中から1つ選んで分類した「養護問題発生理由」として集計している（表1）。

表1　児童養護施設在籍者の入所理由（養護問題発生理由）　　　　　（単位：％）

	1952	1961	1970	1977	1982	1987	1992	1998	2003	2008
親の死亡	23.0	21.5	13.1	10.9	9.6	7.5	4.7	3.5	3.0	2.4
親の行方不明	7.1	18.0	27.5	28.7	28.4	26.3	18.5	14.9	10.9	6.9
父母の離婚	4.0	17.4	14.8	19.6	21.0	20.1	13.0	8.5	6.5	4.1
棄児	11.4	5.0	1.6	1.3	1.0	1.3	1.0	0.9	0.8	0.5
父母の不和	＊	＊	＊	1.8	2.0	1.5	1.6	1.1	0.9	0.8
父または母の長期拘禁	3.4	4.3	3.0	3.7	3.8	4.7	4.1	4.3	4.8	5.1
父または母の長期入院	5.3	16.2	15.7	12.9	12.8	11.5	11.3	9.1	7.0	5.8
父または母の就労	＊	3.3	1.8	1.0	0.7	1.5	11.1	14.2	11.6	9.7
貧困	27.9	＊	＊	＊	＊	＊	＊	＊	＊	＊
破産等の経済的理由	＊	＊	＊	＊	＊	＊	3.5	4.8	8.1	7.6
父または母の精神疾患等	＊	5.7	5.6	5.1	5.5	5.2	5.6	7.5	8.1	10.7
父または母の放任・怠惰	＊		4.7	4.5	5.6	6.3	7.2	8.6	11.6	13.8
父または母の虐待・酷使	＊	0.4	2.5	2.4	2.4	2.9	3.5	5.7	11.1	14.4
養育拒否	＊	＊	＊	＊	＊	＊	4.2	4.0	3.8	4.4
児童の問題による監護困難	＊	＊	＊	＊	＊	＊	6.2	5.4	3.7	3.3
その他	17.8	8.1	9.8	8.1	7.3	11.3	4.5	7.4	7.9	10.5
総数	100.0	100.0	100.0	100.0	100.0	100.0	100.0	100.0	100.0	100.0

出典）1952～92年は、堀場（2009a：80）を転載。原典は厚生省児童家庭局「養護施設等実態調査」各年。
　　　1998～2008年は、厚生労働省雇用均等・児童家庭局「児童養護施設入所児童等調査結果の概要」（各年）。
注）「＊」は該当項目なし。61年の「精神疾患等」と「放任・怠惰」は2つの合計値。87年の「父または母の就労」は「季節的就労」0.4％を含む。98年以降の「その他」には「不詳」（98年0.8％、03年0.1％、08年2.0％）を含む。

図1　児童養護施設在籍者の入所理由（抜粋）

凡例：
- 虐待・酷使、放任・怠惰、養育拒否
- 父または母の就労
- 親の行方不明・棄児
- 親の死亡

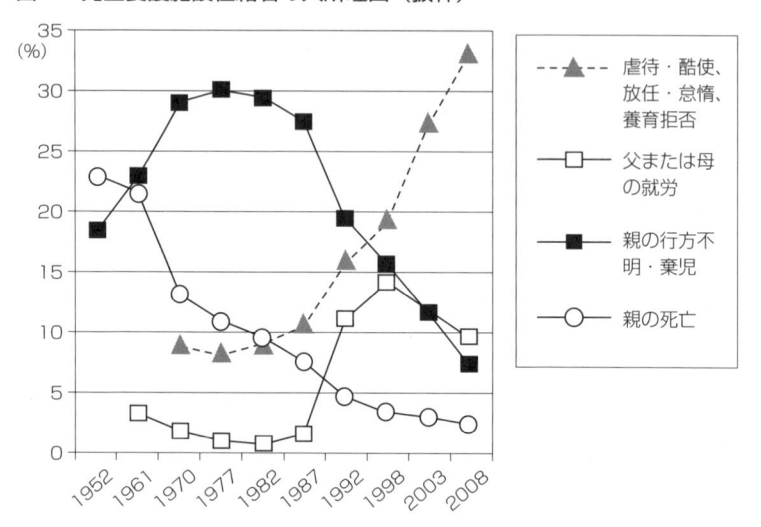

　図1は、時期による「入所理由」の変化を読み取りやすくするために、表1の主要な項目をまとめて表したものである。「親の死亡」を入所理由とする割合は、1960年頃までは2割を超えていたが、その後、大きく低下し、90年代以降は5％を下回っている。「親の行方不明」「棄児」の割合は、70・80年代では3割近かったが、その後は低下し、2008年になると1割を下回っている。これら親がいないことを入所理由とする割合を合わせると、70年代までは4割を超えていたが、80年代末以降急激に低下し、08年には1割程度にまで下がっている。一方で急増しているのは、「虐待」「放任」「養育拒否」などの割合であり、70・80年代までは1割程度で推移していたが、その後急増し、98年には2割程度、08年には3割を超えるに至っている。

　このように入所理由は大きく変化している。しかし、このような変化が「実態の変化」を表しているのか、「分類の変化」を表しているにすぎないのかを区別することは難しい。1952年調査で3割近くを占めていた「貧困」カテゴリーが61年調査以降削除されるなど、入所理由の分類は調査時期によって少しずつ異なっているからである。また、虐待・放任・養育拒否などの入所理由の割合が近年急増しているが、それは90年代以降に児童虐待が社会問題化

した結果、それまでであれば違うカテゴリーに分類されていたケースが、虐待に分類されるようになったという「分類の変化」によるところがかなり大きいと考えられる。また、児童養護施設の位置づけをめぐる変化も、入所理由に影響する[1]。

いずれにせよ、重要であるのは、この記録された入所理由が「入所の際に最も顕著だった理由をあらかじめ与えられた選択肢から一つだけ選んで分類したもの」(加藤, 2005：59) であり、それは重層化し、絡み合った「理由」のなかで「最も重要」あるいは「適切」とみなされた一断面に過ぎないということである。

では、本調査対象者が施設入所に至るプロセス、家族の状況とはいかなるものであったのか。また、施設入所以降、入所児童の家族や家族関係のありようはどのように変化したのか、あるいは変化していないのか。以下の各節では、施設入所児童の家族的背景に関する先行研究の知見を適宜参照しながら、本調査対象者の施設入所へ至る経緯と過去から現在に至る生育家族のありようを、彼／彼女らの語りから再構成していく。もって、彼／彼女らの生活史の出発点であり、彼／彼女らのこれまでとこれからに少なからぬ影響を及ぼす環境としての家族とはいかなるものであったのか／あるのかを明らかにしていく。

1　児童養護施設入所に至るプロセス——3人のケースから

調査対象者12人中5人は、幼い頃から施設で暮らし、「気がついたら児童養護施設にいた」というケースだった。一方、ある程度の年齢になってから児童養護施設に入所し、入所に至る経緯についてある程度把握している人もいる。以下、後者にあたる3人を取り上げ、生育家族の状況と入所に至る経緯について、時間の流れに沿ってみていく。彼／彼女らの「入所理由」が公式にどのように記録されたのかはわからない。しかし、記録された「入所理由」が何であれ、それは「長きにわたる一連の不幸な出来事の最後の一押し

（引き金）」（Goodman, 2000＝2006：103）にすぎないことが示されることになるだろう。

1-1　Bさん（26歳／女性）

　Bさんの父親は、彼女が物心ついた頃には仕事をしていなかった。母親も仕事はしておらず、両親、弟と彼女の4人家族は、生活保護を受給して関西の公営住宅で暮らしていた。7歳のときに妹が生まれた。その後すぐに父親が家からいなくなった。母親と彼女らきょうだい3人の暮らしが数年続いた。彼女が10歳のとき、3人の子どもを残して母親も家を出て帰ってこなくなった。家には10歳の彼女、9歳の弟、そして3歳の妹だけが残された。

　　(妹が)生まれた頃にはお父さんいなかった。もう一瞬だけいて。……次、母さん蒸発して。……小学校の時点で母がどっか逃亡して、誰も家にいなくなって。誰もいなくて、学校にも行けへん。んで、食べれないじゃないですか。私が小5ぐらいだったんで。妹なんてほんまに3歳ぐらいですね。(注：語りの中の「……」は省略、ここでは出てこないが【　】は調査者の語りを表す。以下、同じ。)

　親族の間で話し合いが持たれ、彼女ら3人は父方の叔父のもとで暮らすことになった。しばらくして3歳の妹は児童養護施設に預けられることになった。

　　3人で叔父さんとこに預けられたけど……弟とかはめっちゃシバかれてたし。妹だって怒られて怒られて。……妹は施設にやられて（預けられて）るんですよ。……まだ3歳とかなんでお漏らしもするじゃないですか。そんなんとか「鬱陶しい、みてられるかぁ」って感じやね。……「それは嫌や。3人は一緒がいい」と訴えましたけど、全然聞き入れてもらえず、妹だけ施設に。

叔父宅で暮らし始めて1年半ほど経った頃、5年間「行方不明」だった父親が戻ってきた。彼女と弟は、再び父親と暮らすことになった。幼かった妹は、父親が面倒をみられないという理由で、そのまま施設に残された。妹を施設から引き取ることができたのは、しばらく経ってからである。食事を作れるようになっていた彼女が、「いける（面倒みる）から引き取ってあげて」と父親に頼み込んだのである。

　こうして、父親と弟、妹との4人での暮らしが始まった。しかし、その暮らしも長くは続かなかった。

> （中学2年の頃）父がおかしく、おかしくじゃないけど、何か睡眠薬大量に飲んだり。学校から帰ってきたら家（の出入り口）全部閉まっていて、ガス（栓）がひねられてたりだとか。……（父親が自分の）お腹刺したりだとか。大騒ぎ、とりあえず日々毎日のように大騒ぎみたいな……周りに迷惑かけてた。お父さんが迷惑かけた。そんなんがイヤで、あんまり（家に）帰らんかったりしたら、（父親が）激怒して、よけい帰られへんくなったみたいな。……で、一時保護所に一回避難じゃないけど行って。「お父さん、ちゃんと（以前の状態に）戻ったら帰ってきたら」ぐらい（に周りの人に言われて）。

　彼女ら3人きょうだいは、緊急避難的に児童相談所の一時保護所に入ることになった。それから1カ月が経った頃、彼女に「すごくイヤな予感」が走った。

> 虫の知らせ。私もう、その日一日怖くて怖くて。「何か絶対死んでる気がする、見てきてほしい」って言って、ケースワーカーとか通じて見に行ってもらったんです。ベランダから入ったら（父親が）家のなかで死んでたって……。

　葬式を済ませた13歳の彼女は、「行くとこないから」再び一時保護所に戻

り、その後、児童養護施設に入所することになった。彼女と妹は同じ施設に、弟は別の施設に入所した。

1-2　Mさん（21歳／男性）

　Mさんが小学2年の夏、父親が亡くなった。翌年、阪神・淡路大震災で被災し、住んでいた家が倒壊した。結果、「一家離散」になった。4人きょうだいのうち、幼かった妹は母親のもとに残ったが、長男の彼を含めた3人は母親と別れ、九州の父方の叔母宅に預けられることになった。

　小学3年頃、関西に戻り、きょうだいと一緒に児童養護施設に入所することになった。しばらくして母親が再婚し、彼らきょうだいは母親との暮らしに戻ることができた。しかし、その生活も長くは続かなかった。新しい父親がくも膜下出血で倒れ、半身不随になったのである。彼らきょうだいは、何カ所か転々とした後、前回とは別の児童養護施設に、一番下の妹も含めたきょうだい4人全員で入所することになった。当時、母親は新しい父親の子どもを妊娠しており、生まれた子どもも、乳児院を経て同じ施設に入所している。きょうだい5人が一緒に暮らすことになったのである。

　　父親死んで、すぐ震災あって、他に飛ばされ、飛ばされ飛ばされ飛ばされ。（家族が一緒に）住んでも、また引き離されて……。（入所中、母親が）どこで何をしてるかさえ、僕はわからなかった。ぱっと来て、迎えに来られて、（新しい父親のもとに）連れて行かれて。で、暮らして。お父さんが倒れて。それでまたどっか行って。今どこで何をしてるか。最初（施設に）行ったときも、あんまり面会とかなかったんですからね。1カ月に1回電話があるかないか……「何してるんだろ、この人は？」って思ったこともあります。「俺をこんなとこに預けておいて」。……今思えば（母親も）生きるのに必死やったから。

　実父が亡くなる前にどのような仕事に就いていたのか、また新しい父親が病気になる前にどのような仕事に就いていたのかはわからない。母親の仕事、

この間の経済状況についてもわからない。とはいえ、次の語りにあるように、経済状況も含めて、5人きょうだいが施設を出て、父母が暮らす家に帰ることができる状況でなかったことは確かである。

> 落ち着いてからは、1カ月に1回（親と会って）飯を食いに行ったりとかはしたんです。……家に帰ったのは（小学6年頃の）1回（1泊2日）だけで……5人きょうだいですし、そんな引き取れるわけないですし。……（新しい）お父さんがかかった病気がくも膜下出血やったんで。で、半身不随。……（1、2回）再発して。……その看病もあって。ちょっともう、それで帰れなかった。

1-3　Gさん（21歳／女性）

　Gさんは関西で生まれ、幼少期から母ひとり子ひとりの母子家庭で育った。母親は保険の外交員をしており、彼女が小さい頃から仕事で家を空けることが多かった。小学生になると「見よう見真似で」週に2、3回は自分で夕食を作って食べた。彼女が小学6年のとき、母親は新たな仕事に就くが、「朝も早くてやっぱり晩も遅くで」という生活に変わりはなかった。しかし、彼女にとっての困難は、仕事で忙しい母親と過ごす時間が限られているということだけではなかった。

> 小っちゃいときから、母親が（仕事で家に）いてなかったけど、帰ってきたら帰ってきたで……今で言うたら虐待をされてたから。……ひどいで。自分の子どもに包丁突きつける。……あるモノ全部投げられるし、お腹ガーンって蹴られるし。バーン！ってどつかれるし、外放り出されるし。放り出されたら放り出されたで、泣くやん？　近所の人心配するやん？（近所の人が様子を見に）来るやん？　また（母親に）怒られるし。それで、しまいには扇風機まで投げられた。……「何してんねん！」ガーン！みたいな。いっぱいあった。

幼い頃から日常的に、母親からの直接的な暴力を受けてきたのである。こうした状況のなか、小学4年のときに彼女は心的ストレスにより1年間の入院生活を送っている。

　　(精神科医に)「解離性障害」って言われて。「ストレスのせいです」って。……小4のときに入院して……半年間はずっと寝たきりで。両手、両足、腰と縛られて……まあ、いわゆる多重人格……ものすごい暴れて、止めようがないらしくて。

　中学入学以降も、母親からの暴力はなくならず、「ずーっと続いてた」。

　　(中学生になっても) 一方的にやられる。……めっちゃ蹴られて。もう小学校からずっとそれは変わりない。モノ投げるのも蹴るのも叩くのも、髪の毛ガーって引っ張られるのも。母親もストレス溜め込む人みたいで、精神安定剤とかずっと飲んでたらしいし。で、(精神安定剤) 飲んで車運転して事故るからな。わあぁと思って。これは怖いと思って。口もすごいから。私そんなん負ける、みたいな。

　彼女が中学1年のとき、母親は仕事を辞めた。「(住んでいたのが) 部落地区 (被差別部落) やっていうことで差別されてて。その会社からも。……肝臓、腎臓かどっかが悪くなったっていう理由もあって」。その後は、「お金が入ってこないんで、食べる面でも苦労して」という状況に至る。さらに、仕事を辞めて以降、母親は家に帰ってこないことが多くなり、「ほぼひとり」で暮らしている状況になった。

　　もうほとんど、帰ってこない日の方が多くなって。帰ってきても、家にお金を置いて、すぐに用意して出て行ってしまうっていう感じがずっと続いてて。【Gさんがひとりで暮らしてるみたいな?】ほぼひとりで、中1から。【ご飯とか作るのも自分で?】(自分) で。

やがて母親が家に帰ってきても、彼女は母親と顔を合わせなくなっていった。

【帰ってこない理由っていうのは？】まあ、法に触れることをしてたんで。……いっぱいいろんな悪いことしてて。……何も言わず見て見ぬフリをしてた。もう、あんまり好きじゃなかったんで、ひきこもりというか、ずっとひとり自分の部屋にいてたんで。帰ってきてもそんなに接触することもなく……（母親が帰ってくると）「帰ってきたな」って思って。で、別に「お帰り」も言わず、母親が部屋ノックして呼ばれて、「何？」って出てきて「これお金、ご飯代」って言って渡されて、「ありがとう」ってまた部屋閉めて。ほんで（母親は）また何か用意なり何なりして、出て行ってみたいな。ほとんど顔合わせることもない。

状況はエスカレートしていく。中学3年になると、こうした暮らしも限界に達していた。中学の教員は状況を把握しており、何かと心配してくれた。中学に来ていた「心の相談員」にも「ちょこちょこと相談」した。また、彼女が通う中学には児童養護施設に入所している生徒が何人かおり、その友達から話を聞いていた彼女は、施設が「だいたいどういう所かっていうのは知ってた」。彼女は施設入所を決意し、「心の相談員」に相談した。

（母親が）ずーっと帰ってこなくて。で、やっぱり自分自身しんどくて「助けて」って。……（近所に住む母方の叔父家族に何かと世話になっていたが）お世話になること自体が気を遣うっていうのもあったし。すごい私の母親に迷惑をかけられて、いろんなことですごい大変な思いしてるから。……「生活できひん」って（「心の相談員」に）探してもらって、施設を。

相談して間もない中学3年の冬、彼女は児童養護施設に入所することに

なった。

2　施設経験者の家族的背景

　施設入所に至る経緯が比較的詳しく語られている3人について、その経緯を時間の流れに沿ってみてきた。以下では、この3人にみられたさまざまな困難が重層化し絡み合っていくプロセスや家族の状況を踏まえつつ、その他の調査対象者の家族にもみられる特徴について記述していく。また、適宜、児童養護施設経験者に関する各種統計データも示していく。それは、本調査対象者の生まれ育った家族のありようが、施設経験者においては特殊ではないことを明らかにすることになるだろう。

2-1　親の就業の不安定さと貧困

　1節で紹介した3人の親は、いずれも無業あるいは不安定な就業状態にあり、経済的にも困難な状況にあった。
　Bさんの事例では、まず父親が、次いで母親が「蒸発」してしまうが、蒸発前の状況についてみると、彼女が物心ついた頃には、両親はいずれも仕事をしておらず、生活保護を受給して暮らしていた。母子世帯だったGさんの事例では、母親は保険外交員や事務職の仕事をしていたが、職場での差別や病気により仕事を辞めて以降は、経済的に困難な状況に至っている。Mさんの場合、親の就業状況について、当時まだ幼かった彼の記憶には残っていない。ただ、母子世帯となった直後に被災により家が倒壊し、「一家離散」となったこと、再婚後も、新しい父がくも膜下出血で半身不随になり、母親はその介護にあたっていたことを考えると、経済的には困難な状況にあったことが十分に予想される。
　こうした親の就業の不安定さや家族の経済的困難さは、先の3人のみにみられるわけではない。Cさん（22歳／女性）は1980年代半ば、乳児院に預けられ、2歳からは8人いるきょうだいと同じ児童養護施設で暮らしてきた。

乳児であった彼女に、入所当時の親の就業状況はわからないが、「物心ついたときは働いてなかった」。また、入所理由については、「貧困だと思いますね」と語る。先に見たBさん、Gさん、そしてこのCさん、いずれも、ひとり親世帯の親が無職だったり、両親共に無職なのであり、ここでの「親が無職」という状況は、生育家族の経済的困難、貧困に直結している。

　施設入所時に親が仕事に就いていた事例について、その仕事を列挙すると、父子世帯の父親では「トビ職の親方」「クレーン運転手」「和食の板前」、両親ともいたケースの父親では「製造業の自営」「植木職人」「居酒屋経営」、母親では「保険会社（外交員）」「製造業の自営の手伝い」など。無職の父親が以前に就いていた仕事を含め、いわゆる「現場仕事」「肉体労働」の多さが目立っている。もちろん、こうした「現場仕事」「肉体労働」が直接、就業の不安定さや貧困と結びついているわけではない。たとえば、「ひきこもり」状態にあったことが施設入所の理由だと語るIさん（19歳／男性）の父親は植木職人であったが、経済的には必ずしも困難な状況ではなかったという。とはいえ、経済的に困難な状況にあったとはっきり語られていない場合でも、少なくとも余裕のある状況ではなかったのではないかと考えられる事例が目立つ。

　Hさん（24歳／女性）は、日本人と中国人の父母を持つ父親と中国人の母親の間に、4人きょうだいの長女として、中国で生まれた。まず、1980年代初頭に両親が来日し、彼女は4歳頃に遅れて来日した。両親は自営で木製品の製造をしており、彼女も幼い頃から妹と共に仕事を手伝ってきた。

> 小っちゃいときから（親の仕事を）手伝ってて、友達と遊ぶ時間も全然なかったんですよ。（学校が）休みの土日とかは絶対に手伝いに行かなきゃいけなかった。……（土日は）朝から行って夜まで……（平日も学校から）帰って来てからは……行かなきゃいけないってときがめっちゃ多かった。もう、「今から来て」とか。

　彼女の家族の経済状況ははっきりとはわからない。しかし、両親だけでな

く、小学生の彼女らも人手として期待されるような家族ぐるみで営む零細な自営業であり、「うまくいくときといかないときの波」も激しかった。さらに、高校受験の際、学力的には私立専願でなければ進学は難しい状況だったが、母親から「公立に行け」と繰り返し言われており、彼女自身も「(家には) お金がそんなめっちゃあったわけじゃないから、めっちゃ悩んだ」という。こうしたエピソードも、彼女の家族が経済的に余裕のある、あるいは安定した状況になかったことを示唆している。

　こうした親の就業状況の不安定さや生育家族の貧困は、施設経験者においてはとりたてて珍しいものではない。厚生省の1987年の実態調査によると(図2)、児童養護施設入所児童の生育家族の50.9％は年間所得200万円未満であり、100万円未満の割合も28.3％と3割近くに達する(不明を除く)。一般世帯では200万円未満が7.7％、100万円未満は1.5％にすぎない。施設入所児童世帯の年間所得平均は214万円であり、一般家庭の平均所得506万円の4割程度にすぎない(黒田, 1992：191)。施設入所児童の多くは、貧困世帯から生み出されているのである。

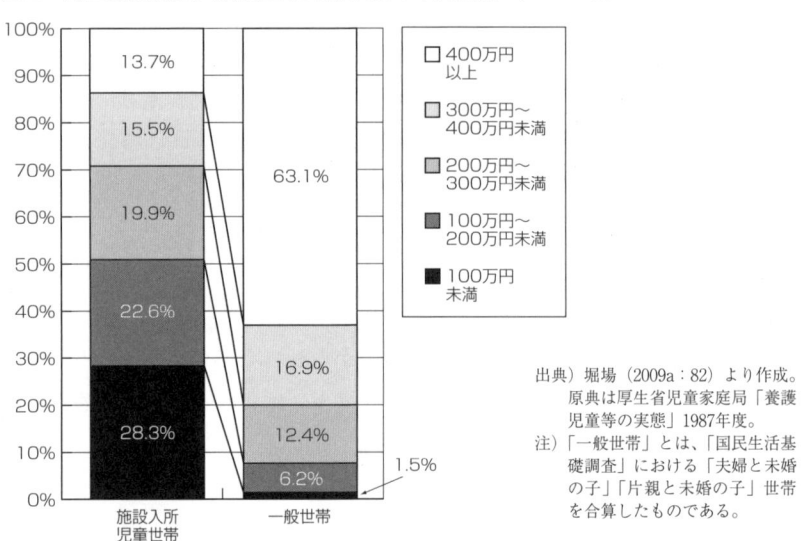

図2　児童養護施設入所児童の生育家族の年間所得（1987年）

区分	施設入所児童世帯	一般世帯
400万円以上	13.7%	63.1%
300万円～400万円未満	15.5%	16.9%
200万円～300万円未満	19.9%	12.4%
100万円～200万円未満	22.6%	6.2%
100万円未満	28.3%	1.5%

出典）堀場（2009a：82）より作成。原典は厚生省児童家庭局「養護児童等の実態」1987年度。
注）「一般世帯」とは、「国民生活基礎調査」における「夫婦と未婚の子」「片親と未婚の子」世帯を合算したものである。

このように養護問題と貧困の結びつきは明白だったが、先に見た1987年調査を最後に、厚生労働省は全国規模の実態調査から親の就労や所得についての項目を削除しており、その後の全国的傾向を数量的に把握することはできない。しかし、こうした傾向はその後も継続していると考えられる。たとえば、山野良一（2006）は、神奈川県の児童相談所が、県内の児童養護施設・乳児院入所児童の扶養義務者の所得階層について集計した結果を紹介している。その結果を見ると（図3）、「所得税非課税」、それよりさらに所得の低い「市町村民税非課税」「生活保護」を合わせると、1980～2000年代のいずれの時期も8～9割程度と極めて高い割合を占めている。また、特に所得の低い「生活保護」「市町村民税非課税」の割合の合計は、80年の64％から上昇傾向がみられ、03年には85％にまで達している。施設入所児童と貧困との結びつきは、継続しているだけでなく、より強くなってきているのかもしれない。
　いくつかの研究は、入所児童の親の社会経済的状況について、より詳しく教えてくれる。高口明久らは、中国・近畿地方の児童養護施設（99ヵ所）に在籍し、1988年3月に中学を卒業した児童575人を対象に、入所時の家族的背

図3　神奈川県における児童養護施設・乳児院入所児童の扶養義務者の所得状況

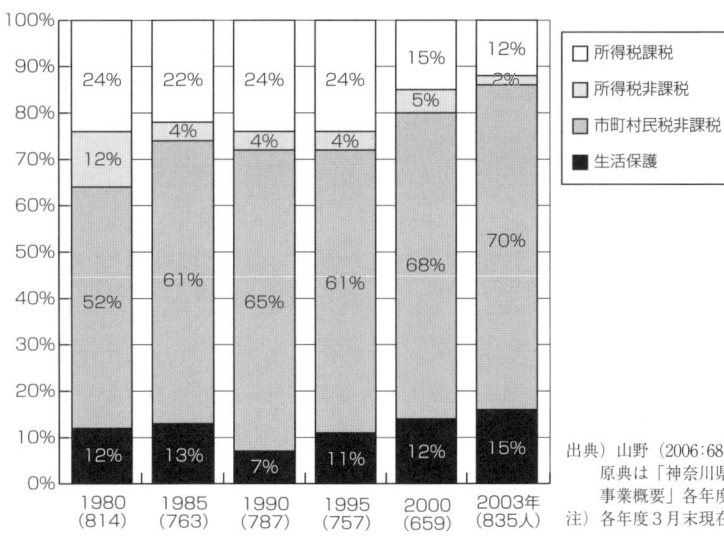

年度	所得税課税	所得税非課税	市町村民税非課税	生活保護
1980 (814)	24%	12%	52%	12%
1985 (763)	22%	4%	61%	13%
1990 (787)	24%	4%	65%	7%
1995 (757)	24%	4%	61%	11%
2000 (659)	15%	5%	68%	12%
2003年 (835人)	12%	2%	70%	15%

出典）山野（2006:68）より作成。原典は「神奈川県児童相談所事業概要」各年度版。
注）各年度3月末現在。

景について把握を試みている（高口・生田，1991）。結果、父母の学歴は、不明（父親41％、母親52％）が多いため情報としては不十分であるが、不明を除くと、中卒以下の学歴が父親の72％、母親の71％を占めていた。90年の国勢調査によると、15～64歳における最終学歴が中卒以下の割合は男女共に25％であり、入所児童の親の学歴構成は著しく低学歴に偏っている。父母の職業について、不明や離死別により父母がいないケース（父親30％、母親52％）を除いた残りについてみると、父親では無職が24％と最も高い割合を占め、以下、「工員」22％、「自動車運転手」20％、「単純労務・日雇」19％、「職人」17％と、「肉体労働の職種がほとんどを占めている」（高口・生田，前掲：363）。母親では無職が40％を占め、それ以外では、「飲食サービス」21％、「店員」8％などが高い割合を占めている。経済状況についてみると、生活保護世帯19％、準要保護世帯[2]18％、合わせて4割近くが公的扶助の対象であり、施設職員が「安定している」と判断した世帯は10％にすぎない。1980年代、全国の生活保護世帯の割合は1.7～2.1％程度で推移しており、施設入所児童の生育家族の保護率19％とは、その10倍程度の高さである。このような結果から高口らは、不明が少なくないため断定はできないと断りつつ、次のように結論している。「父母の大多数が今日ますますマイノリティ化しつつある低学歴者であり、社会的にみて底辺労働の世界で働く人々であり、不断に失職状態との境目にある周辺的な位置を占めている人々であり、圧倒的多数が貧困状態にある人々ということである」（高口・生田，前掲：365）。

1975～85年度に札幌市とその近郊にある9つの児童養護施設を退所した児童427人について調査を行った松本伊智朗も、「養護問題を担う世帯は、生活基盤が脆く、社会サービスからも遠ざけられた今日の『貧困層』に位置する。養護問題は『貧困層』の子弟の養育上の諸困難を集中的に担っている問題なのである」（松本，1987：56）と結論づけている。

1990年代以降、施設入所児童の家族的背景に関する調査研究は見られなくなっていく。しかし、数少ない研究のひとつである堀場純矢の一連の研究は、こうした傾向が近年においても継続していることを明らかにしている（堀場，2009b；2009c）。堀場は、2000～08年にかけて、東海地区の6つの児童養護施

設に在籍している児童の父母352名（父親179名、母親173名）の生活歴について、ケース記録などからの把握を試み、「施設で暮らす子どもの親のほとんどが不安定低所得階層である」ことを明らかにしている（堀場, 2009c：12）。より具体的に述べると、まず親の学歴は、不明が42％であり不確かさは残るが、不明を除くと父親の69％、母親の64％が中卒以下である[3]。2000年の国勢調査によると、15〜64歳で最終学歴が中卒以下の割合は男性で17％、女性で16％であり、80年代末の高口らの調査結果と同様、入所児童の親の学歴は著しく低学歴に偏っている。また、入所時点で生活保護を受給していた割合は、12％（父親6％、母親18％）に達する[4]。さらに、生活保護受給以外で無職である割合が、父親の21％、母親の49％を占めていた。仕事をしている場合も、「父親は、土木・電気関係、運転手、夜間の清掃業務などの不規則・不安定就労、母親は風俗や飲食店関係のパート・アルバイトなど非正規の不安定就労」が多く、「安定就労」とされたのは、父親で10％、母親ではいなかった。「不安定就労の者同士が結婚（事実婚を含む）して親となっているため、子どもの多くは胎児の時から不安定な生活を余儀なくされている」のである（堀場, 2009c：11）。

　本調査対象者の親の多くは不安定な就業状態にあり、彼／彼女らの生育家族は経済的に困難な状況、貧困状態にあったと考えられるケースが目立ったが、これまでみてきたいくつかの調査研究から明らかなように、児童養護施設経験者にとってそうした事態は特殊なものではない。本章冒頭で見たように、記録される「養護問題発生理由」は時代によって大きく変化しているが、児童養護施設入所者と貧困との結びつきは、過去から現在まで一貫して強固に存在し続けているのである。

2-2　家族構成の不安定さ

　経済的な困難さや貧困に加えて、生育家族の特徴として指摘できるのは、親の離婚や死別の多さであり、期間の長短はあれ、多くがひとり親世帯での暮らしを経験している。12人の調査対象者のうち、施設入所時点で両親がいたのは3人だけだった。そのなかには、小学3年頃から不登校状態になり家

にひきこもっていたことが入所理由だと語るIさん、「どんどんグレてって、悪さするようになって、その延長で」施設に預けられたと語るJさんが含まれている。残り9人はひとり親世帯（父子世帯6人、母子世帯3人）での暮らしを経験していた。

こうした親の離死別の多さ、そしてその結果としてのひとり親世帯の多さは、生育家族の貧困もそうであったように、施設経験者の生育家族においては珍しいものではない。厚生労働省の実態調査によると、児童養護施設入所児童のうち、入所時に実父母のもとで暮らしていた割合は、1998年23％、2003年27％、08年28％と、それぞれ2〜3割程度を占めるにすぎない（**表2**）。高い割合を占めているのはひとり親であり、98年54％、03年56％、08年62％といずれの年も過半数を占めている。全国の児童のいる世帯に占めるひとり親比率はそれぞれ4.5％、5.1％、6.8％であり、児童養護施設入所児童の家族におけるひとり親世帯の比率は、9〜12倍高い。また、両親が離死別し再婚したと思われる「実父養母・養父実母・養父養母」の割合も、98年7％、03年8％、08年10％といずれの年も1割程度を占めている。さらに、「両親ともいない・両親とも不明」が、98年16％、03年8％、08年11％と1〜2割弱を占めている。

両親の離死別や、ひとり親という家族構成の多さが施設経験者の生育家族を特徴づけている。そして、こうした家族構成は、これまで繰り返し指摘されてきたように、貧困と結びつきがちである。たとえば、阿部彩の2004年「国民生活基礎調査」を用いた推計によると、20歳未満の非婚者のいる世帯のうち、「両親と子のみの世帯」「3世代世帯」の貧困率[5]はそれぞれ11％であるのに対して、「母子世帯」では66％、「父子世帯」では19％と、ひとり親世帯、とりわけ母子世帯の貧困率は突出して高くなっているのである（阿部, 2008：56）。

本調査対象者のなかには、ひとり親、とりわけ父子世帯という家族のあり方が、直接施設入所の理由になっていると思われるケースもあった。DさんやFさんの事例である。

Dさん（22歳／女性）は4人きょうだいの2番目だった。一番上の姉は、

表2 入所時の家族の状況（%）

	総数	両親又はひとり親	実父母	ひとり親			実父養母・養父実母			不詳	両親ともいない・両親とも不明		不詳	(参考)全国の児童のいる世帯の状況		
					うち、実父のみ	うち、実母のみ		うち、実父養母	うち、養父実母			うち、祖父母		ひとり親	母子世帯	父子世帯
1998年	26979人	82.8	22.5	53.7	24.7	28.4	6.5	2.3	4.0	0.1	16.2	4.1	1.0	4.5	3.9	0.6
2003年	30416人	91.5	26.9	56.3	20.8	34.8	8.3	2.4	5.7	0.0	8.1	3.8	0.4	5.1	4.5	0.6
2008年	31593人	83.2	27.8	61.7	18.5	42.5	10.4	2.5	7.7	0.1	10.8		5.9	6.8	6.0	0.8

出典）厚生労働省雇用均等・児童家庭局「養護施設入所児童等調査結果の概要」（1998年2月1日現在）、「児童養護施設入所児童等調査結果の概要」（2003年2月1日現在）、「児童養護施設入所児童等調査結果の要点」（2008年2月1日現在）より作成。「（参考）全国の児童のいる世帯の状況」は、「国民生活基礎調査」各年版より全国の結果を集計。

注）「（参考）全国の児童のいる世帯の状況」の「ひとり親」は、児童（18歳未満の未婚の者）のいる世帯に占める、「ひとり親と未婚の子のみの世帯」の比率である。児童のいる世帯に占める、母子・父子世帯それぞれについては集計されておらず、わからないため、「母子世帯」「父子世帯」の値は、20歳未満の子のいる母子世帯・父子世帯数の比率から推計した。

母親の連れ子で、下の3人はトビ職の親方だった父親との間に生まれた。彼女が3歳の頃、一番下の妹が生まれてすぐに両親が離婚し、母親は姉と生まれたての妹を連れて家を出た。父親のもとにはDさんと弟が残されることになった。父親の仕事が休みの日曜以外は、幼い彼女と弟だけでの「留守番生活」が続いた。やがて、父親のきょうだいの強い勧めで、Dさんの小学校入学前に、弟と共に施設に預けられることになった。

　ずっと留守番生活だったんですよ。お父さんが仕事行って、弟と2人で留守番して。で、お父さんは自分で育てたかってんけど、周り（父親の姉）が「施設に入れなさい」って感じで。お父さん、泣く泣く入れたって感じやから……お父さんが（子どもを施設に預けることが）イヤで、何回か施設入れても、3カ月間だけ家帰ったりしててんけど、そこは難しかったみたいで。

Fさん（29歳／男性）は、4人きょうだいの末っ子として生まれた。1970年

代の終わり、両親が離婚し、母親は家を出ていった。父親はクレーンの運転手だったが、「父だけじゃ（面倒を）みれないっていうことで」、次男は親戚の家に養子に出され、長男・三男は児童養護施設に入所した。当時、乳児だった四男の彼も乳児院を経てきょうだいと同じ施設に入所することになった。

　父子世帯という家族のあり方が施設入所に繋がりやすいのは、全国的な傾向である。**表2**の「実母のみ」「実父のみ」をそれぞれ母子世帯・父子世帯とみなして、全国の児童のいる世帯の状況と比べると、施設入所児童の母子世帯比率は全国の7～8倍の高さであったが、父子世帯比率は全国と比べると23～41倍の高さにもなるのである。

　また、ひとり親世帯で「子どもを育てきれない」というのとは異なる形で、両親の離婚・再婚が直接、子どもを施設に預けることに繋がっていると思われる事例もあった。たとえば、幼い頃に乳児院に預けられ、気づいたときには児童養護施設に入所していたKさん（31歳／女性）である。彼女は4人きょうだいで、姉は母方の祖母に預けられ、下のきょうだい2人は家族と暮らしていた。施設に預けられていたのは彼女だけだった。物心がついた頃、一時的に家族のもとに泊まる外泊の際に、家族と暮らすきょうだい2人を見て、なぜ自分だけ施設に預けられているのだろうと思った。その理由を知ったのは、高卒後に施設を退所し、紡績工場に住み込みで働いていた20歳のときだった。工場の寮に、中学になって以降ほとんど連絡がなかった母親から突然、電話がかかってきたのである。

　　（母親が工場の寮に電話）かけてきて、いきなり。……「お姉ちゃんとあんたはお父さんが違う」とか、いきなり。……（Kは）お姉ちゃんのお父さんの弟の子ども（だと言われた）。……うちができたせいで、お姉ちゃんのお父さんとも別れないといけなくなったとも言われた。……ショックだった。

　両親の間に姉が生まれ、その後、母親と父親の弟の間にKさんが生まれた。Kさんを妊娠したことで、両親は離婚することになり、母子世帯となった母

親は生まれたばかりのKさんを乳児院に預けた。その後、母親は再婚し、弟と妹が生まれた。この再婚を契機として姉は母方の祖母に預けられることになった。きょうだいがバラバラに暮らし、彼女ひとりが施設に預けられるようになった状況を整理するとこのようになるだろう。

　離死別の多さ、そしてその結果としてのひとり親世帯の多さは、それが貧困と結びつくこともあれば、貧困とは必ずしも結びつかずに施設入所の理由となっている場合もある。いずれにせよ、しばしば見られたのは、単に「ひとり親世帯」とカテゴリー化するだけでは済まされない不安定さ、不定形さを内包した家族のありようだった。1節で紹介したBさんの家族を**表2**のカテゴリーで整理すると、当初は「実父母」と共に暮らしていたが、父親の蒸発により「実母のみ」となり、母親も蒸発することで「両親ともいない」になり、その後、5年ぶりに父親が姿を現したことにより「実父のみ」になり、父親の死亡により再度「両親ともいない」になるといった具合に、めまぐるしく変化しているのである。

　家族構成の特徴としては、親の多くが離婚・再婚を経験していることとも関わるが、きょうだいの多さ、多子世帯であることも指摘できる[6]。Cさんは8人きょうだいの末っ子であり、きょうだい全員が同じ施設で暮らしていた。阪神・淡路大震災で被災し、「一家離散」となったMさんは5人きょうだいである。Bさん、Dさん、Fさん、Hさん、Kさんはいずれも4人きょうだいだった。

　子どもの多さそのものは、必ずしも子どもを施設に預けることと結びつかないが、子どもが8人で末っ子が生まれて間もなく父子世帯となっているCさんの事例などを考えると、子どもの多さが育てることの困難さを強める要因となったことは間違いないだろう。また、阿部は、子どもの数が3人以下の場合には貧困率は10％台で人数による違いはみられないが、4人以上になると貧困率は上昇し、子どもの数が5人以上の世帯では50％に達することを明らかにしている（阿部, 2008：66-67）。きょうだいの多さ、つまり多子世帯であることは、先にみた生育家族の貧困とも結びつきつつ、施設入所に繋がっているのである。

2-3　親の疾病・障害、精神的不安定さ

　1節で紹介した3人の事例では、親の就業状況の不安定さや経済的困難さ、家族の不安定さが見られたが、それらと結びつくように、親が疾病や障害、精神的な不安定さを抱えていることも示されていた。両親共に蒸発してしまったBさんの事例では、その後、戻ってきた父親と再び暮らすことになるが、父親は睡眠薬を大量に飲むなど自殺未遂を繰り返し、彼女が一時保護所に入所しているときに亡くなっている。母子世帯で生まれ育ち、母親からの虐待を受け続けてきたGさんは、母親が「精神安定剤とかずっと飲んでたらしいし」と語っている。また、彼女の母親は仕事を辞め、家にも帰ってこないようになるが、仕事を辞めたのは、職場で差別を受けただけでなく、「肝臓、腎臓かどっかが悪くなった」という理由もあった。Mさんは母親の再婚により施設を退所し、家族との暮らしに戻るが、新しい父親がくも膜下出血で倒れ半身不随になったため、再び施設に入所している。

　上記の3人以外にも、親の疾病・障害、精神的不安定さが語られることがあった。たとえば、乳児の頃から施設に預けられてきたCさん（22歳／女性）の父親である。父親は彼女が物心ついた頃には働いていなかったが、アルコール依存症で身体を壊して働けなくなったのだという。その後、彼女が小学5年のときに父親は亡くなっている。Dさん（22歳／女性）の父親はトビ職の親方だったが、彼女が施設に入所中の中学3年頃に病気を患い、仕事ができなくなっている。生活保護で暮らしていたが、病状は悪化し、彼女が21歳のときに亡くなっている。

　前述の松本の調査では、入所時の世帯主の健康状態を尋ねているが、不明を除くと「入院」が21％、「不良」が18％と、合わせて4割が健康状態に問題を抱えていたことが明らかにされている（松本, 1987：55-56）。また、これも前述した堀場の調査では、入所時の親について、より詳細な「健康状態（疾患・症状）」が把握されており、「不明・死亡」を除くと、親の35％は「慢性疾患・症状」（糖尿、高血圧、がんなど）を抱えていた。また、「精神疾患・症状」（アルコール・薬物依存を含む）があるとされた親や、「知的障がい・ボーダー」とされた親も少なくなかった（堀場, 2009c：9）。施設経験者の親は、

それが原因であるにせよ、結果であるにせよ、貧困や家族の不安定さと結びつく形で疾病や障害、精神的不安定さを抱えがちなのである。

3　家族関係上の困難さ

3-1　家族間の葛藤と虐待

　調査対象者が生まれ育った家族、あるいは調査対象者を育てることができなかった家族とは、親の就業の不安定さや経済的困難、家族構成の不安定・不定形さ、さらには親の疾病・障害や精神的不安定さ——これらさまざまな困難が重層化し、絡まり合った家族であった。こうした環境としての家族の抱える困難さは、そこで生まれ育つ子どもたちにとってさまざまな面で不利となる。さらに、こうした重層化し、絡まり合った困難さは、しばしば家族関係における困難さとも結びついていた。彼／彼女らの家族関係はしばしば深刻な葛藤をはらんでいたのである。

　中国で生まれ、4歳頃から日本で暮らすことになったHさん（24歳／女性）は、幼い頃から親との関係において困難さを抱えていた。

　（昔は、私）ずっと、ずうーっと黙ってる子だったんですよ。……ていうのも、お父さんもお母さんもやっぱり日本語わからないじゃないですか。（中国から）来たばっかりでとかで。……ストレスとかも溜まるじゃないですか。そしたら（父親は）お母さんに当たるし。で、お母さんも日本語がわからないし。でも、お父さんからは怒られるし。てなったときに、そのストレスとかの発散の場所が自分たちに来るんですよ。自分に。……ちょっとしたことでもね、むっちゃ怒られてたんですよ。びっくりするぐらい。……何か言っても、全部嘘って思われてたんですよ。「また、お姉ちゃん嘘ついて」とか。……「あぁ、自分、嘘ついてるって思われてるんや」て思ったら、だんだん心閉ざしてしまった。親なのに。

彼女は高校1年頃に、後述する父親からの虐待を直接的なきっかけとして、児童養護施設に入所している。入所した施設についての語りには、彼女が生まれ育った家族、その関係がいかなるものであったのかが裏書きされている。

　【施設自体の印象はどうでしたか？】もう感動、めっちゃ感動しました。普通のことなんかもわかんないですけど、皆が自分の話を聞いてくれるから。……皆が自分の話を聞いてくれて、めっちゃ受け止めてくれたから。……（施設の）先生たちが、まず自分の話を聞いてくれるってのがデカかったです。「聞いてる！（私の）話」みたいな。今までそんなことなかったので。だからすごい感動しました。「すごい、いい場所じゃないですか！」みたいな。

　こうした家族関係の困難さ、深刻な葛藤が虐待として表れる事例もあった。2節でみたように、母ひとり子ひとりで育ったGさんは、幼い頃から施設入所に至る中学3年まで、日常的に母親から身体的暴力を伴う虐待、長期間母親が家を空け帰ってこないというネグレクトを受けてきた。Hさんも、小学校の低学年頃から施設に入所する高校1年まで、直接的な暴力を伴う虐待を受けていた。父親からの虐待である。

　うち自営業じゃないですか。うまくいくときといかないときの波が激しいじゃないですか。いかないときは、絶対（虐待が）ありますね。……ちょっと苛立ってるときとか、ストレス溜まってるときは、だいたいありますね。……感情も思ってることも口に出さない子やったから、たぶん自分に来たんですね。……でも、何かそれを言う勇気もなかったんですよ。お母さんに「嘘ついてる」とか言われてるし。めっちゃ怒られとったし。……家を出る勇気もなかったし。何か言ったことで、何やろ、家族が壊れるのもイヤやなって思って。

　高校1年のとき、父親からの虐待について初めて母親に話した。しかし、

母親は信じてくれず、父親は虐待を否定した。

> お父さんにいろいろされとって。それで、お母さんとかが気づかなくて……「もういい加減いいわ。もうしんどいな」て思って、いろいろされてるのもイヤやったし。で、言ったときも、お母さんは「また嘘ついてる」……「そんなことはあるはずがない」って。……（父親も）「いや、俺は絶対何もしてないし」……「はあ、そうやね。認めるわけないよね」って思って。……何か、「もうダメだよ」って思って。

やがて虐待の事実があることを認めるようになった母親が役所の知り合いに相談したことをきっかけに、Hさんは施設に入所することになった。その過程で、家族の関係は「おかしく」なっていった。父親はそれを彼女のせいだと罵った。

> 家はもうおかしくなってるんですよ。……（父親から）「家がこんなことになったのは、お前のせいや」って、めっちゃ怒られたときがあったんですよ、電話で。「うわ、やっぱ、そうやって思うよね」って思って。……さすがにそのときは泣きました。泣きましたね。「これはひどい」って思って。

3-2　虐待と貧困

　本調査対象者の生まれ育った家族は、児童養護施設入所者の家族の多くがそうであるように、ひとり親といった家族構成、親の就業の不安定さ、経済的困難さ、さらには親の疾病や精神的不安定さなど、さまざまな困難が重層化し、絡まり合った家族だった。そして、こうした家族のありようは、しばしば家族関係の困難さとも結びついており、なかには虐待を経験している人もいた。

　虐待について日本では、「ひどい親」「いいかげんな親」が引き起こす問題といった捉え方が根強い。「豊かな社会」の中での「こころの問題」とする捉

え方も大きな影響力をもっている(山野, 2006)。「1990年代から始まった日本での児童虐待の社会問題化の大きな特徴は、虐待が社会経済的問題というよりも、家族内部での個人の問題として確立したことにある」のである(上野, 2007：33)。しかし、多くの調査研究は、親の個人的な問題、「こころ」の問題として理解するだけでは済まされない現実を明らかにしている(たとえば、山野, 2006；2010；川松, 2008)。日米の調査研究を広くレビューした山野が指摘するように、「貧困などの社会経済的な要因と子ども虐待との結びつきは、実証的にも理論的にももはや否定できない」(山野, 2010: 228-229)のである。

一例として川松亮(前掲)や山野(前掲)も取りあげている『児童虐待の実態Ⅱ』(東京都福祉保健局, 2005)を見ると、東京都の児童相談所が2003年度に扱った児童虐待事例(1447世帯)のうち、生活保護受給世帯の割合は不明95世帯を除くと16％(東京都全体の保護率は2.2％[7])、「経済的困難」があったと判断された家庭は31％に達している。また、ひとり親家庭が36％を占めるなど(東京都全体では7％)、「経済的困難」だけでなく、「ひとり親家庭」や「親族、近隣等からの孤立」「就労の不安定」などの状況をあわせもった家庭が多く、「いくつかの困難が重層的に重なっている家庭が、子ども虐待へと追い詰められていく」(川松, 前掲：94)姿が明らかにされている。施設入所措置がとられた児童虐待事例では、こうした傾向はより顕著である。川松が自身の勤務する児童相談所で実施した調査によると、2003年度の受理ケース145家族では、母子家庭が21％、生活保護受給家庭18％(「経済的な不安定」を含めると28％)であったが、施設入所措置がとられた家庭では、それぞれ58％、67％(75％)に達しているのである(川松, 前掲：97)。

貧困がさまざまな困難と絡み合いつつ児童虐待と結びついていることは明らかである。だからといって、先に見たGさんやHさんの親の虐待は免責されない。しかし、こうした現実に目をつむったまま、虐待を「ひどい親」「いいかげんな親」の問題、あるいは「こころの問題」として捉えているだけでは、虐待の防止などなし得ないこともまた明らかである。

4　希薄化する施設入所以降の家族関係

　施設入所後、彼／彼女らの家族の状況、家族の関係は「良い方向」へと変化していくのだろうか。
　しばしば見られるのは、死という形での親子関係の終わりである。Cさん（22歳／女性）の父親は、アルコール依存症で身体を壊し、彼女が小学5年のときに亡くなっている。Dさん（22歳／女性）のトビ職の親方だった父親は、彼女が施設に入所中の中学3年頃に病気を患い、仕事ができなくなっており、彼女が施設を退所した後、彼女が21歳のときに亡くなっている。
　大嶋恭二らは1993年に8つの児童養護施設に在籍している523人の入所時と調査時の家族構成の変化を明らかにしている（大嶋編, 1997）。それによると、入所時26％であった「両親世帯」が調査時には約3分の1の10％に低下し、他方で「ひとり親世帯」（41％→44％）、「養育者はいない」（4％→9％）などの割合が高くなっている。家族構成は、施設入所後、さらに不安定化しているのである。
　では、家族との関係についてはどうであろうか。施設入所後、行方不明になっていた母親と再会し、その後、親子関係が「良好」なものに変わったという事例もあった。1節で紹介した3人のうちのひとり、Bさんである。施設で暮らしていた中学3年のとき、「蒸発」していた母親が4、5年ぶりに家に戻ってきた。それからは連絡を取り合い、外泊で母親と過ごすようにもなった。彼女は短大卒業後、施設を出て、福祉施設の職員となったが、その頃、母親は肝硬変で入退院を繰り返すようになっていた。彼女は頻繁に見舞いに通い、母親が彼女の暮らす寮の近くに転居してきてからは、毎日母親のアパートに通い身の周りの世話をした。その後、長期にわたる入院生活の末、彼女が24歳のときに母親は亡くなった。
　彼女は、小学生時代に父親も母親も蒸発してしまい、修学旅行にも行けなかった。「親がこっちがおらんかったり、あっちがおらんかったり……それで私、不幸になってる」と思ったこともある。しかし、「今となっては何もそ

ういうふうに思ってへん」と語る。

　親、恨んでないですよ、私。今も（このインタビューが終わったら）「お墓参り後で行こな」って（弟に）言って。この間、弟が母の日に、もうすっごい、墓にはおかしいようなお花を、カーネーションとかかすみ草とかブワーって（大量に）買ってきて。弟も恨んでないです。

　Bさんの事例では、最終的には死別することになるが、母親との再会を契機に、母子の関係は「良好」なものに変化している。とはいえ、そうした変化はそれほど一般的なものではなさそうである。

　Dさん（22歳／女性）は、3歳頃に別れて以降、母親とは会ったこともなく、母親の現在の状況について尋ねると、「うえぇ、知らんなぁ」と全くわからないという。きょうだい8人で施設で暮らしてきたCさん（22歳／女性）は、乳児の頃から施設で暮らしており、母親については顔も知らなかった。そんな母親と高校2年のときに初めて、そして突然出会うことになったが、「それっきり」で、それ以降、母親からの連絡はないという。

　人生で一番じゃないけど、びっくりしたの高校2年生でね。（施設の）先生にね、「Cちゃん、ちょっと応接室来て」みたいなこと言われたんです。……何かな思ったら、お母さんいたんですよ。「お母さん、見つかりましたよ」みたいな。雰囲気そんな感じでした。……私はもう「誰これ？」みたいな。「ようわかれへん人おるわ」くらいなんですよ。顔も覚えてないし。（母親は）すごい泣いてはりましたけどね。……【そこで何か話しました？】え、してない。だって誰かわからんのに、めっちゃ怪しいですよ。知らん人おって、「お母さんですよ」って言われるんですよ。「誰？」みたいな。……それっきりです。

　児童養護施設に措置され続けていることからもうかがえることではあるが、彼／彼女らが施設に入所する原因、あるいは背景としてある生育家族の

重層化し絡まり合った困難さは、施設入所後も継続しており、なかには困難さが深刻化しているケースもある。そうした状況にあって、家族との関係は疎遠なものになりがちである。

幼い頃から施設に預けられ、気づいたときには児童養護施設にいたというＫさん（31歳／女性）は、困難さが深刻化しているケースである。彼女が小学生頃までは母親が面会に来ることもあり、外泊で親きょうだいが暮らす家に戻ることもあった。しかし、小学２、３年頃になると、彼女は「（家族は）自分のことがきらいなのだろうな」と思うようになり、それからは「引き取ってもらいたいとも思わなかった」。彼女は、外泊のたびに母親から虐待といえる仕打ちを受けていたのである。中学生になると外泊で帰ることもなくなり、連絡もなくなった。

> （外泊で）帰省して覚えてるのが正座。ずっと朝から正座させられて、「動いちゃダメ」って（母親に）言われて、冬なのに裸足で外に出されたり。ご飯も白ご飯だけとか、それに洗剤とかかけられて。……怖かったから、「帰りたくない」って言って、中学生のときにはもう暮らさなかった（外泊しなくなった）。途中から暮らさなくなって、そのままずっと連絡がなくて。

１節で紹介したＧさんは、母親から深刻な虐待を受けてきたうえに、母親が家にほとんど帰ってこないようになり、中学３年で施設に入所した。施設入所後は、２カ月に一度程度ではあるが、母親に連絡をとることもあった。しかし、高校を卒業し、施設を出てひとり暮らしを始めてからは、施設を出てすぐの時期に一度連絡があったきりで、それ以降、丸３年以上連絡はない。現在、母親については「どこで何をしてるかわからない」。

両親との間に深刻な葛藤があり、父親からは虐待を受け続けたＨさんは、高校１年で施設に入所し、高校卒業と同時に措置解除になり施設を出た。退所後の就職先は、「親から離れる」ために実家から遠く離れた地方を選んだ。現在、母親とはたまには連絡をとることもある。しかし、施設入所のために

家を出て以来、現在までの5年間、実家には一度も帰っていない。成人式の際も、実家ではなく、高校時代に暮らした児童養護施設に帰った。

おわりに

　本調査対象者が生まれ育った家族とは、経済的困難・貧困や家族構成の不安定・不定形さ、親の疾病や障害、さらには虐待としても表れることになる家族関係における困難さ——これら重層的な困難を抱え持った家族であった。そして、児童養護施設入所に至る過程は、そうしたさまざまな困難や不利のそれぞれが原因となり結果となりながら、分かちがたく絡み合い蓄積されていく過程であった。それは各種調査研究の統計データから浮かび上がる、施設入所児童とその家族の姿と重なっており、家族的背景という点では、彼／彼女らは施設経験者の典型であるといえる。そして、そうした生育家族に見られる困難さや不利は、施設入所後も継続しており、なかには困難さが深刻化さえしている。

　では、重層化し絡み合った困難を抱えた家族に生まれ育ったことは、彼／彼女らにどのような影響をもたらしたのだろうか。それは彼／彼女らのその後の生活史に何らかの不利を刻印することになったのだろうか。

　繰り返しなされてきた調査研究は、子ども期に貧困であることの不利は、子ども期だけにおさまらず、成長し大人になってからも持続し、一生つきまとう可能性が極めて高いことを明らかにしている（阿部，前掲：18）。しかし、本調査の対象となった彼／彼女らは、ある時点で児童養護施設——冒頭で記したように、さまざまな困難を抱えた児童を養護し、自立のための援助を行うことを目的とする施設に入所したのである。児童養護施設を含む社会的養護は、「脆弱な家族を持ち最も不利と困難が集中しやすい子どもを養育することで、親世代の不利の移転を緩和し、貧困の世代的再生産を切る」という社会的機能を担っている（松本，2008：35）。では、本調査対象者が入所することになった児童養護施設は、このような不利の継続、不利の連鎖を断ち切

る、あるいは弱めるという機能を果たすことができたのであろうか。

　本章はこうした問いの出発点となる——不利の継続、不利の連鎖の出発点となる——家族のありようについて示してきた。続く各章では、こうした家族的背景をもった彼／彼女らが児童養護施設に入所して以降の姿が描かれることになる。

注

(1) たとえば「父または母の就労」の割合が1987年から92年にかけて急増しているが、グッドマンはこの増加の背景に「トワイライトステイ事業」の開始、すなわち「1992年以降、ひとり親（父）家庭は父の仕事の都合で夜遅くなる場合に、子どもは夕方と夜に児童養護施設で預かってもらうことができるようになっ」たことがあると指摘している（Goodman, 2000＝2006：96）。
(2) 「準要保護世帯」とは、「要保護者に準ずる程度に困窮している」世帯であり、認定された世帯の児童・生徒は就学援助の対象となる。具体的には、前年度・当該年度に生活保護が停止・廃止になった世帯や、市町村民税非課税世帯などである。
(3) 堀場（2009c）では、「不明」「死亡」を含む調査対象者総数に占める割合が示されているが、ここでは「不明」「死亡」を除いた割合を求めて示している。以下の数値も同様である。
(4) 国立社会保障・人口問題研究所「『生活保護』に関する公的統計データ一覧」（http://www.ipss.go.jp/s-info/j/seiho/seiho.asp 2009年7月29日更新）によると、1990～2007年の東海地方全体の生活保護率は0.31～0.54％の間で推移しており、0.4％だとして計算すると、児童養護施設入所児童の生育家族の生活保護率12％とはそのおよそ30倍の高さ、母親の生活保護率18％とはその45倍の高さである。
(5) ここでの「貧困率」は、手取り世帯所得を世帯人数で調整し、その中央値の半分以下の所得の世帯を貧困世帯として集計したものである。
(6) 前述の松本（1987）の調査においても、施設入所児童のきょうだいの多さが指摘されており、314世帯中39％は子どもの数が3人以上であり、4人以上の世帯も18％に達した。「国民生活基礎調査」によると、同時期の日本全体では、18歳未満の児童のいる世帯で児童数が3人以上である世帯は16％程度、4人以上いる世帯は2％程度であった。
(7) 厚生労働省「平成15年度 被保護者全国一斉調査」と、「住民基本台帳による東京都の世帯と人口」（平成15年1月1日現在）より算出。

第2章

児童養護施設での生活

長瀬正子

　本章では、家庭を離れ施設で生活するようになる過程と児童養護施設における生活世界を描き出すことを主眼とする。1章における生育家族の背景とともに、人生における諸々の局面の前提となる施設経験者の志向性を示し、それを形成する場としての施設の特徴を明らかにするものである。

　大舎制という環境においては、大勢の子どもがひしめきあう居住空間、集団で生活する施設ならではの柔軟性のない日課やルール、威圧的な上下関係によって支配される子どもの世界が示された。子ども同士、施設職員との関係性の特徴としては、「接近し強く意識される近しい存在」のわりに「胸の内をすべて明かせるわけでもない」というアンビバレントなふたつの側面があり、場面によって自身を変容させながら施設での日常を生き抜く姿が描き出された。「人には恵まれている」と施設入所したことを肯定的に評価し、自身の転機ととらえ前向きに生きる姿も描き出されたが、「仕方がない」「我慢」というあきらめが身体化されていく側面も浮かび上がった。

　これらの調査結果は、現状の施設において子どもが人生を切り盛りしていく力を育成するうえで、体制としても子どものケアにおいても、改善を要する課題を示すものであった。

はじめに

　家庭で育った人、つまり施設での生活経験を持っていない人、あるいは施設での勤務経験がない人にとって、児童養護施設での生活がどのようなものであるかを想像することは容易でない。そして施設で生活する子どもは、同年代の子ども人口の700分の1にあたることからも、一般に広く認知されにくい。馴染みがないからこそ、時として誤解をともなった理解をされていることもある。

　本章では、社会的に認知されているとは言い難い施設経験者の、家庭を出て施設で生活するようになる過程、および施設における生活世界を描き出すことを主眼とする。施設で生活する子どもたちは、生育家族から離れ、多くの場合一時保護所での生活（1節）を経て、施設での生活をスタートさせる。施設生活においては、多くの施設に共通するケア形態である大舎制という集団生活（2節）が営まれ、共に過ごす子どもたちとの関係（3節）と生活全般のケアを担う児童養護施設職員の存在（4節）がある。

1　児童養護施設の入所に至るまで

　施設への入所は、児童相談所や一時保護所といった児童福祉機関、およびその職務に携わる児童福祉司たちの手によって遂行されることになる。入所の手続きは図1に示すとおりである。

　まず、子どもおよび親自身、家族や親戚、近隣の人たちなどからの連絡によって市町村の窓口あるいは児童相談所に届けられた子どもと家族の相談は、「ケース」と呼ばれ受理される。その後、受理されたケースについて種々の調査がなされ、子どもと家族は、社会的、心理的、医学的な診断を受ける。その間、子どもと家族の状態によっては、子どもは一時保護される。最終的に、児童相談所内の会議において、子どもと家族にとって何が最もよい決断

図1 児童相談所における相談援助活動の体系・展開

出典：財団法人日本児童福祉協会（2005：164）

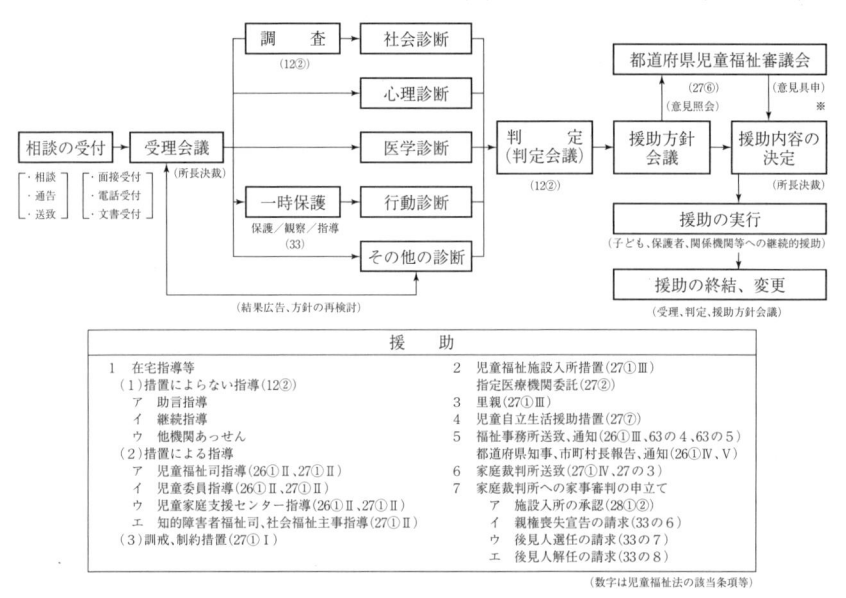

```
                            ┌─ 社会診断
              ┌─ 調査 ──────┤
              │   (12②)      ├─ 心理診断                      ┌── 都道府県児童福祉審議会
              │              │                                │      (27⑥)         (意見具申)
              │              └─ 医学診断    ┌─ 判　定 ──┐     │    (意見照会)         ※
相談の受付 ─ 受理会議 ─┤                     │(判定会議) │─ 援助方針 ─ 援助内容の
              │              ┌─ 行動診断    │  (12②)   │    会議       決定
・相談        (所長決裁)      │              └──────────┘               (所長決裁)
・通告        ・面接受付      │                                         │
・送致        ・電話受付  一時保護                                     援助の実行
              ・文書受付  保護/観察/指導                              (子ども、保護者、関係機関等への継続的援助)
                            (33)     └─ その他の診断
                                                                    援助の終結、変更
                            (結果広告、方針の再検討)                  (受理、判定、援助方針会議)
```

	援　助
1 在宅指導等	2 児童福祉施設入所措置(27①Ⅲ)
（1）措置によらない指導(12②)	指定医療機関委託(27②)
ア 助言指導	3 里親(27①Ⅲ)
イ 継続指導	4 児童自立生活援助措置(27⑦)
ウ 他機関あっせん	5 福祉事務所送致、通知(26①Ⅲ、63の4、63の5)
（2）措置による指導	都道府県知事、市町村長報告、通知(26①Ⅳ、Ⅴ)
ア 児童福祉司指導(26①Ⅱ、27①Ⅱ)	6 家庭裁判所送致(27①Ⅳ、27の3)
イ 児童委員指導(26①Ⅱ、27①Ⅱ)	7 家庭裁判所への家事審判の申立て
ウ 児童家庭支援センター指導(26①Ⅱ、27①Ⅱ)	ア 施設入所の承認(28①②)
エ 知的障害者福祉司、社会福祉主事指導(27①Ⅱ)	イ 親権喪失宣告の請求(33の6)
（3）訓戒、制約措置(27①Ⅰ)	ウ 後見人選任の請求(33の7)
	エ 後見人解任の請求(33の8)

(数字は児童福祉法の該当条項等)

であるかという判定がなされ、援助内容は、**図1**下部の援助で示される内容となる。

保護が必要な子どもは、多くの場合、児童相談所内にある一時保護所で生活する。児童相談所運営指針によれば、「一時保護は子どもの行動を制限するので、その期間は一時保護の目的を達成するために要する必要最小限の期間とする」(日本児童福祉協会, 2005：239) とされ、2カ月を超えてはならないとされている。しかし、大都市の児童相談所においては一時保護期間が長期化する傾向にある[1]。長期化する理由は、施設が一杯 (39.2%)、家庭が引き取る予定[2](23.0%)、家庭調整が難航 (14.7%)、里親委託の準備 (14.7%)、家庭裁判所における28条審判中[3](4.4%) である (安部, 2009：34-35)。

子どもの一時保護を決定するのは児童相談所であるが、原則として子どもと保護者に対し保護が必要な理由を説明し同意を得ること、入所中の生活や注意事項等についても説明し気持ちを安定させる必要がある。しかし、実際

の状況は原則とは隔たりがある。山屋春恵の調査[4]によると、一時保護の理由を説明「された」と回答した子どもは78.8%である。ただし、その説明を理解し、納得して入所した子どもたちばかりではない[5]。

　Ｊさんは、他の子どもたちは何週間かで一時保護所を出ていくにもかかわらず、自分自身はなぜそこで生活し続けるのかわからないまま、２カ月間一時保護所で生活していた。現在、福祉施設職員のＪさんからすると、児童相談所が判断に迷っていたのではないかということであったが、当時はなぜそのような状況に自分が置かれているのか理解していなかった。

　　一時保護に入ったときも、普通は何週間ですぐ決まりますよね。自分の場合、行く場所がなかったらしくて２カ月くらいいたんですよね、そこに。【何なんでしょうね、行く場所がなかったっていうのは】わかんないです。決まんなかったんでしょうね。家に帰すのか、帰さないのか。教護（教護院、現在の児童自立支援施設）か養護かみたいな。【判断がつかないっていう？】そうなんですかね。２カ月いたんですよ、自分は。（Ｊさん／31歳／男性）

　また、Ｂさんは、一時保護所で約１カ月間不安や怒りをもって生活した。Ｂさんにとっての一時保護所への入所は、「わからない」場所に突然連れてこられ、これまでの関係性をぷっつりと途絶えさせられてしまう経験であった。「イヤだった」という気持ちには、これからの生活に対する不安、途切れさせられてしまった関係性に対する悲しみ、友達への通信がなぜ制限されるのかわからないという怒りがあった。

　　（施設に）入る前に、まず一保（一時保護所）からイヤだったんで。一保から脱走する気満々なくらい。塀をよじ登ったり（笑）。【一保はどこにあったんですか？】場所とかわからへん。私ら「遠いとこに連れてこられた」としか思えへんから。実際、塀に登っても、どこに出るんかも知らん。「とりあえずこっから出たい。こんなとこはイヤだ」じゃないけど。【ど

れぐらいいました？】1カ月くらい。……施設行ってから、友達とかも遮断されちゃうんで。まったくもって、イヤやったですね。……電話番号なんて憶えてない。携帯もある時代じゃないし。「どうやって連絡とんねん」って。お金も一銭も持ってないから。連絡のとりようがないじゃないですか。私の（地元の）友達も何も聞かされてなかった。「『どっか転校したわ、元気にやってる』としか教えてもらえなかった、あのときは」って。さんざん（「連絡をとりたい」と）言ったけど、誰も聞く耳持たん。一切、シャットアウト。（Bさん／26歳／女性）

　こうした一時保護所に対する否定的な感情は、Bさんだけではなく多くの子どもに共通した気持ちである。山屋（前掲：143）によれば、一時保護所への「入所が決まった時の気持ち」は、47.2％の子どもが「不安」であり、「心配」40.7％、「いやだ」32.2％、「しかたがない」29.0％、「複雑」24.4％と続いていた。
　さらに、一時保護所では、児童養護施設に入所する子どもだけでなく、情緒障害児短期治療施設や児童自立支援施設が適切だと判断される子どもも入所する。虐待を受けて情緒的に不安定な子どももいれば、非行や家出、暴力行為を繰り返す子どもも一緒に生活することになるのである。多様な問題を抱えた子どもたち[6]が混合で処遇されており、子どもたちの反抗やパニックなどの場面[7]で職員は、多くの困難を抱えている。そうした場面を乗り切るためには、子どもの数と同程度の職員が必要となってくることに加え、職員の力量が求められるところである。しかし、現実としては一時保護所の職員のうち、正規職員は57.6％という実態（安部編，2009：44）もあり、学生などの非正規雇用職員によって支えられている。一時保護所は、現状として子どもにとっての安心・安全が確保された状態にはなり得ていない（安部編，前掲：162-167）。

2 大舎制という集団生活

　一時保護所での生活を経て、子どもは施設での生活をスタートする。
　日本の児童養護施設の多くは、大舎とよばれる20人から200人の子どもが集団で生活する形態をとっている[8]。本調査対象者も、15人から20人規模の施設で生活をしていたＦさん以外は大舎制の施設で生活していた。全国児童養護施設協議会（以下、全養協）の調査では、2009年度において全国327施設（56.9％）が大舎制をとっている。大舎制は、図２に示した施設が典型例であり、全員が使える大きな食堂や浴室などの設備をもち、共同のスペースやプログラムのもとに生活が営まれる。こうした大舎制の施設においては、職員同士の連携がとりやすく管理がしやすい、新任職員にとっては間近で先輩の働く姿から学びながら運営できるという利点がある反面、子どものプライ

図２　大舎制施設の例

出典：櫻井（2008：75）

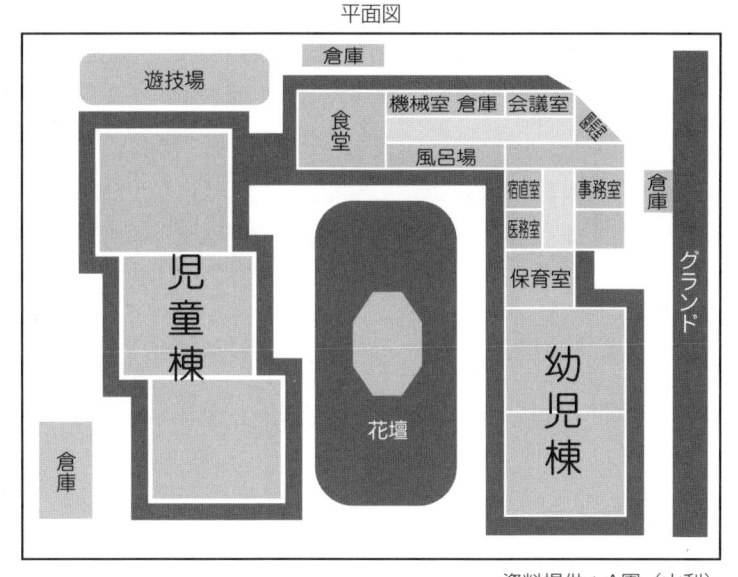

資料提供：Ａ園（山梨）

ベートな空間や時間を確保しにくい、日課やプログラム上の規制が厳しくなりやすいなどの欠点も指摘されている（櫻井, 2008：74）。それは、「押しつけの強い形式的な日常生活」（師, 2006：55）であり、「現実から隔絶され極めて特殊で平板な『非日常生活』」（三宅, 2002：218-219）と表現されるものである。

こうした大舎制のもつ課題に対し、国は、2003年10月に出された『社会的養護のあり方に関する専門委員会報告書』において「ケア形態の小規模化」の重要性を指摘しており、近年、大舎制の建物においても小規模グループケア、ユニットケアといった少人数単位で生活を構成する施設も増えてきた。

2-1　施設ならではの日課やルール

大勢の子どもが衣食住を共にする集団生活は、後に述べる職員配置の少なさもあり、家庭の暮らしではあまりない習慣や日課がつくりだされる。

Ｃさんは、「きっちり」という言葉を繰り返し使い、規則正しく営まれる施設での生活を表現する。また、日課だけでなく施設を運営していく役割分担も「きっちり」決められており、その割り当ては施設職員主導のものであった。

> すごいいろんなこと、きっちり決まってますよね。掃除も、月一回きっちり決まってるし、食事の時間とかもほんとにずれないですよね。一日のスケジュール、キャンプのときの割り当てとかもきっちり。【子どもたちが話し合って決めていく余地はほとんどない？】ない……なかったですね。（Ｃさん／22歳／女性）

Ｉさんは、クラブ活動で施設の帰宅時間に遅刻したときに職員から注意を受けている。

> 風呂も９時って決まってて、（それより遅くなると）入れたのは入れたんですけど、ちょっと文句言われるみたいな感じで。「もう、9時までっ

て決まってるんだから」みたいな感じで。（Ｉさん／19歳／男性）

　Ｋさんの施設では、施設におけるスポーツ指導としてバレーボールが行われていた。通っていた高校の校長に高校のバレーボール部への入部を勧められたにもかかわらず、施設のバレーボール部があるからという理由で高校のバレーボール部に入ることを施設職員から反対された。

　　高校で球技大会があって、バレーに出ているときに校長先生が見てくれて、「バレー部に入れ」って言われたから。施設の先生に言ったけど「ダメ」って言われたから。【結局バレー部には入れなかったのですか？】うん。……（入部が認められなかった理由は）帰りが遅いとか。施設でのバレーもあるから。練習ができなくなるやろとか。（Ｋさん／31歳／女性）

　ＩさんとＫさんの語りからは、当時の施設においては、施設の方針やルールが学校の教育活動よりも優先されるものであったことがうかがえる。

2-2　子どもがひしめきあう居住空間

　施設における子ども一人あたりの居住スペースの基準は、1948年に定められた基準から変わっていない。児童福祉施設基準第41条では、子どもの居室の一室の定員は15人以下であり、一人あたり3.3㎡以上すなわち畳であれば2畳分ほどしか保障されていない。特別養護老人ホームの10.65㎡以上という基準の3分の1ほどである。現在でこそ高校生になれば二人部屋や個室が保障されるようになってきたが、以前は高校生になっても年齢の異なる複数の子どもと同室になることが少なくなかった。子どものプライバシーも保ちにくい実態が想像できる。

　Ｂさんは、建て替わる前の施設で大勢の子どもたちが狭いスペースでひしめきあって育ったことを思い出深く回想する。

10人くらいで合宿みたいに布団あわせて寝てる。朝早い子とかいたらめっちゃ迷惑。目覚ましが鳴ってるから、隣で。トイレ行くとき、踏まれたりとか。……机も、だーっと並んでて、机同士がくっついている。（Bさん／26歳／女性）

　他方、Cさんは、狭い居住空間や常に人がいる状況で生活する息苦しさを経験していた。ひとりになる空間のなさ、大勢の子どもとの生活は、多感な中学生の時期には負担の大きいものであった。

　何に対してむかつくのかわからないけど、（施設に）帰りたくなかったんです。それに、（施設には）誰か絶対いるじゃないですか。人いっぱいいるし。何かすごくイライラするし。そんときは、しんどかったですね。（Cさん／22歳／女性）

　こうした現状は、現在もさほど変わらない。2008年の大阪市の調査によれば、施設内にひとりになれる場所が「ある」「少しある」と回答した子どもは全体で43.9％であったが、そこであげられている「一人になれる場所」にはトイレも含まれている[9]。
　また、ひとりの子どもの問題行動は、他の子どもに波及し、時として振り回されるほどの事態が生じる。狭いスペースでの集団生活だからこそ、生じる問題である。

　高3のときに、むっちゃモノ盗むやつがいて。何度も何度も皆のいろんなモノ盗んで。注意してるんですよ。注意してても、どんなに口で言っても聞かないから、僕がけっこう手出してしまったりしたことがあって。普通にそれを外でやってたら捕まることやし。窃盗ってことで。施設の先生も、そいつが、次にモノ盗んだら警察に突き出すみたいなことも言ってるぐらい直らないやつとかいて。（Iさん／19歳／男性）

大勢の子どもが密集して集団で生活しており、一人ひとりのペースや状態に合わせた居住環境にはなり得ていない。

3　施設で生活する子ども同士の関係性

施設には、生活を共にする他の子どもたちの存在があり、子ども同士の世界がつくりあげられる。伊藤嘉余子（2010）は、「自分と似た境遇の人がほかにもいると知って安心した」「みんな親と離れているんだという仲間意識」といった「子ども同士の連帯」があることが、子どもたちにとって施設に来てよかったこととして感じられており、同時に「年上の子どもから年下の子どもへの威圧」が施設生活での不満であることを明らかにしている。

3-1　接近し、強く意識しあう関係性

すでに述べたように、施設では大勢の子どもたちが狭い空間を共有せざるを得ない。当然のことながら、子ども同士の関係も接近しがちであり葛藤も生まれる。良くも悪くも、子ども同士が干渉しあう形で生活が展開するのである。Gさんは、同室の子どものペースに巻き込まれ、自分が望むペースを邪魔された経験があった。

> （施設に）入ったときはいじめじゃないですけど（笑）、同じ部屋の子が、自分は眠たくないからって、すごい喋りかけてくれるのは嬉しいんですけど、何か無理矢理起こされて。氷とかでがーって顔冷やされて起こされたりとかして……「しんどいし」って言って、「もう、こんなんされる」って先生に相談して。「寝かせて！」みたいな（笑）。（Gさん／21歳／女性）

生活空間は、多様な子どもによって共有される。自身を「隠れて生きるタイプ」と表現するCさんは、「ヤンチャ系の子」を観察し、意識しながら過ご

した。

> 中学校ってね、施設の子って不良っていうか、ヤンキーな子が多いんです。ヤンチャ系の子が。脈々とそういう歴史があるんですよ。「施設の子は恐い」とか。どっちかなんですよ。私はもう、何かこう隠れて生きるタイプで。

　Cさんは、「ヤンチャ系の子」が施設職員とやりあっている姿を見ることで、施設生活において従順であることを選択していた。しかし、「ヤンチャ系の子」とは違った行動をとることが、「ヤンチャ系の子」たちに注目され、干渉されていた。

> 絶対大変ですよね。だって、彼女らは職員とすっごいぶつからないといけないんです。私はもう絶対ぶつからなくてもいいような感じでいってたんで。「ようやるなあ」とか思ったりとかしましたね。……【施設の子ども同士の関係が悪くなるというのはないんですか？】なりますよ。いじめられた。(「ヤンチャ系の子」は) やっぱ強いから。「あんた、何イキッて勉強してんの」って言われたり。いっぱいね。「どうせ私らはバカやよ」みたいなん、すごい言われるんですよ。(Cさん／22歳／女性)

　また、施設で生活するという自分と同じ境遇にある子どもに対して、特に強く意識する場面がある。Lさんは、施設で生活していない「外部」の子どもに対しては強い感情の揺れを抱かなかったが、同じ施設で生活する子どもの外泊や面会には敏感になっていた。

> 【自分は「みんなと違う」みたいに思ったことは？】みんなと違う、とは思わなかった。たぶんこれが普通やったから。だから、そういう違いについては特に違和感はなかったし、「お母ちゃんがおって、いいな」とも思わんかったし。(まわりに) 人が常におったから。そういうのはなかっ

た。学校の子に対しての嫉妬とかは全然なかったんやけど。(施設でも親が迎えに来る子は、)迎えに来るやんか。絶対、週に一回とか月に一回とか。それに対しては妬みじゃないけど、「何で私のところには来えへんねやろうな」というのはあった。【施設の中であったっていうこと？】外部ではないっすね。(Lさん／23歳／女性)

お互いを強く意識しているとはいえ、子どもたちは正直に自分自身や家族、入所理由について語りあうこともあれば、そうでないこともあった。幼少期から入所していたため、入所理由を正確には知らないCさんは、友達と入所理由を想像しあった。

> 同じ年の子とか同じ部屋の子と、小学校のときに「私はたぶんこういう理由で入ったんやと思う」というのを話しあいましたね。「私は逃げてきたんや」とか。そんな感じで同じ年とか、同じ部屋の子たちと、自分たちの「何で入ったのか」っていう理由を話しあったりはしたけども。(Cさん／22歳／女性)

他方、Iさんは、「暗黙のルール」「タブー」あるいは「失礼」だと感じて、施設の友達同士で入所理由や家族の状況について敢えて話をしていなかったという。

> (他の子に入所理由について聞くことは)いや、そんなんはやっぱり。一回もありませんね。その辺は、皆わかってるから。そういうことは口に出さんというか、たぶん皆暗黙のルールというか。【(家に)帰ったこととかもあんまり？】あんまり言わないですね。(Iさん／19歳／男性)

3-2 暴力をともなう威圧的な上下関係

施設内での子ども同士の暴力的なコミュニケーションやいじめは日常的であった[10]。それらは、身体的な暴力だけでなく、心理的な暴力や性的な暴力

など多岐にわたるものである。

　施設における暴力は、第一に「施設内虐待」と表現される職員からの体罰や暴力、第二に子ども同士の加害・被害行為であるいじめや暴力がある。職員から子どもへの暴力については、この10年間に施設および職員側に大きく意識変革がせまられ、対策が講じられるようになってきている[11]。一方、子ども同士の暴力に関しては、この数年になってようやく問題が可視化されるようになってきたところである[12]。ただ、施設における子ども間暴力は以前から存在していた。

　Jさんは、入所した当初にいじめを受けた。こうした入所時のいじめは珍しくないようで、「あたりまえに日常茶飯事にある」という言葉が印象的である。

　　トイレに連れてかれて、自分の歯ブラシに小便ひっかけられて「これで歯磨け」とか。ご飯にはゴキブリが入ってたりとか。最初のうちは食べないですけど、腹減るから何週間も抜いてるから、(結局)それをよけながら食べるっていう。そういうのがあたりまえって……そこ(自分の育った施設)しか見てないのかもわからないですが、あたりまえに日常茶飯事にある。まぁ、あったんですね。(Jさん／31歳／男性)

　こうした子ども同士の暴力は、強固な上下関係に起因していた。上下関係には年齢だけでなく、施設で生活した年数も関連していた。

　　うちらのときは上下関係が厳しかって。でも、(乳児の頃から入所している)自分はそんなに姉ちゃん(施設の先輩)たちからも言われんかったけど、途中から入ってきた人たちには上下関係が厳しい。(Kさん／31歳／女性)

　Mさんの経験した上下関係は、過酷なものであった。

普通の生活にあこがれるんですよ。風呂のときもあるんですよ。風呂のときに、バスタオルって4枚しかないんですよ。きれいなのは高学年が使って、僕らは、びっちゃびちゃになったバスタオル。【使いまわすんですか？】そうです。大変ですよ。高学年が（風呂から）あがるのを待って、そのタオルを使った後を俺らが使うと。新品のタオルを使うと殺される。しかも、そのとき「先輩どうぞ」って感じで、「このタオル使ってください」って（渡さなければならなかった）。

9時以降が怖いんです、怖かった先輩のときには。9時以降は、皆、就寝して部屋間が出入禁止なんですよ。優しい先輩やったらすっと寝れる。（怖い先輩と同室だと）何されるかわからないっていうのがあった。【毎日毎日、ですよね？】そうです。戦慄ですよ。ご飯の席でもあるんですよ。食堂のご飯の場所で、その（暴力をふるう）先輩らとなったら、自分のきらいな物食わされるんですよ。好きな物はパッと取られていく。文句言えない。先生にチクッたら、後で殺される。我慢するしかない。「ああ、もう好きですよ」って言って食べるしか。(Mさん／21歳／男性)

暴力が継続する背景は、Mさんの「チクったら殺される」という言葉に象徴されるように、職員に訴えにくい実態があった。Mさんの施設だけでなく、Cさんの施設においても、暴力は職員から見えない場所で行われ、子どもからは訴えにくい状況があることがわかる。暴力を訴えにくい傾向は、現在においても共通している。2008年の大阪市の調査では、いじめられたときの対応として「がまんした」という回答が3割を占める[13]。こうした状況は、暴力が訴えにくいというだけでなく、次のCさんの入浴時のエピソードが示すように職員の数に比して子どもの数が圧倒的に多いことから、施設生活がほぼ子ども同士の関係性が支配する世界として展開していることとも関連があるだろう。

昔はね、女の子は女の子で（お風呂に入るとき）一緒くただったんです

よ。年上の人もいるし、小学生もいるし。だから、いっぱいいじめられましたよ。お風呂の中で。【上の人から？】そう。お風呂、見えないからね。誰も見てないから。そういう経緯があって、結局、私が中学校くらいのときには（小学生と中高生の入浴時間が）分かれてたんですよ。（Cさん／22歳／女性）

密室化した暴力は次第にエスカレートする。Mさんは、施設で暴力が常態化していた状況を詳細に述懐している。

【中1の4月1日で世界が変わるわけですか？】「A寮」が小学校の寮で、で、「B寮」は中学校の寮で。引越しで変わるんですよ。てっぺんから下になる瞬間が。「よろしくお願いしまーす」とか言いながら、（B寮に）入っていくんです。「どうか殺さないで」（笑）。小学校で「闇工程」とかってあったんです。「闇工程」「天下一武道会」。闇工程ってのは、1人に毛布をかぶせて、リンチです。闇工程ってのは、小学校からあった。闇、暗闇の工程、イコール暴力。それで1人、重傷負ったんですよね。で、闇工程もあんまりなくなった。重傷負ったのは、中学生かな。小学校のときの闇工程もひどかったです。……「天下一武道会」って言って、1対1で戦わせる『ドラゴンボール』の。だからもう、「（中学校に）入ったら、天下一武道会やられるんかな」って思ってた。「そんなん、僕、秒殺されるやん」とか思いながら。【じゃあ、予想外に平和な状況だったっていうわけでもないわけですか？　中学校。】いや、平和でしたよ。それがあったから、びっくりしたんですよ。「ああ、俺、こんな天国みたいなところ住めるなんて、最高」と思いましたね。いや、ひどかったっすよ、天下一武道会、闇工程。僕は闇工程されてないですけど。闇工程された後の荒んだ惨めな姿。毛布に包まれて、もごもご言ってる間に、上から殴りつけられるんですよ。ここに。数人に囲まれて。リンチですよ、ほんまに。よう死人が出んかったわって思いますわ。（Mさん／21歳／男性）

調査対象者のうちひとりは、施設内における性暴力について語っている。それは、夜間に彼女の就寝場所に男性が侵入し怖かったという経験であり、その夜にたまたま信頼できる職員が夜勤でいたことから訴え、助けを得ることができたというエピソードであった。神田ふみよ（1992）における当事者の手記からも施設において性暴力の被害に遭っている子どもは少なくないことが予想される。しかし、これらの実態は把握され始めたばかりである[14]。

3-3　大勢の特別な友達

施設での生活の厳しさをうかがわせる内容が続いたが、伊藤（2010）に示される「子ども同士の連帯」と重なる非常に良好な友達関係についての語りもあった。

Bさんは、大舎制の施設で縦割りの小グループで過ごしたことを思い出深くふりかえり、Kさんは、施設生活のよかったこととして友達が大勢できたことをあげた。

> 【横の関係というか一緒に入っている人たちとの関係は？】横も上も全然よかった。めっちゃいい人らでした。めっちゃかわいがってくれるし。遊びに行ったりとか、普通に。敬語じゃないんで、全員が。……職員もそうなんですよ。○○先生じゃなかったんですよ。あだ名で呼んでるし。センセセンセじゃなくて。ほんまに家族。小規模やったからですかね。（Bさん／26歳／女性）

> 集団生活。……何がよかったかな。友達がいっぱいいたから。【今でも、同じ施設から卒業した子たちと連絡はとってる？】うん。とってる。（Kさん／31歳／女性）

Dさんは、学校での自分と施設での自分との間にはギャップが生じていたという。Dさんにとって、施設で共に生活する子どもたちは特別な存在であ

り、正直な自分でいることができた。施設の友達と学校の友達の間には明確に線引きがなされ、学校の友達は異なる存在として意識されている。

> あたし、施設の子はすごい好きやったから。廊下走り回ってめちゃめちゃ笑って、そんなんがあったから。学校の時間のほうが長いけど、帰ってきてからはめちゃめちゃ笑ってたかな。【じゃ、学校での自分と帰って来てからの自分では結構差があったりするん？】ぜんぜん違うかったと思うわ。別に学校でそんな「うへぇー」って（友達と楽しく）やろうと思わんかったし、学校は学校で勉強しに行って、帰って来たらいいやって感じ。……別に、施設の子以外の子と友達つくるんイヤやったし、自分のなかで施設の子の前で学校の話するんもイヤやったし。（Dさん／22歳／女性）

伊藤（2010）が示す「子ども同士の連帯」が見出された一方で、施設生活者は、「外部」と表現する施設で生活していない子どもと、施設で生活する自分とを明確に区別していた。そうした区別があるからこそ、施設で生活する友達を「特別な友達」として認識していたといえよう。こうした施設生活者自身による区別は、施設経験者のアイデンティティとの関連、日本社会において「隠されている」あるいは「憐憫」の対象となっていることとも無関係ではないだろう。施設を退所した後、主に「外部」の人で構成される社会へと施設経験者たちが出ていくとき、こうした区別について自身のアイデンティティとどう折り合いをつけていくことになるのだろうか。この点については、6章に譲りたい。

4　児童養護施設職員の存在

ここまで施設で生活する子ども同士の関係性についてみてきたが、児童養護施設におけるもうひとつの重要な存在は、職員である。

児童養護施設職員は、保育士、児童指導員、心理職員、調理員といった職務があり、施設の運営を担っている。子どものケアに直接携わる職員、児童福祉現場では「直接処遇職員」とよばれる職員は、おもに保育士、児童指導員を指す。現行の児童福祉施設最低基準第42条3では、「児童指導員及び保育士の総数は、通じて、満三歳に満たない幼児おおむね二人につき一人以上、満三歳以上の幼児おおむね四人につき一人以上、少年おおむね六人につき一人以上とする」と定められている。

　これを私たちの日常生活に置き換えてみよう。最低基準は、一般家庭の親のように始終子どもの育ちを見守るという想定で定められている。つまり、一般家庭の夫婦で想定してみると、小学生以上の子どもであれば12人の子どもを育てていることと同様の状態である。ただ、職員は親ではなく労働者であり、休憩や休日を保障することになるため、結果として、それ以上の子どもを担当する場合も多い。ひとりで10人以上の子どもを担当することも少なくないのである。しかも、その子どもは一人ひとり、家庭背景も多様である。過酷な職場環境であることは容易に想像できる。児童福祉施設最低基準の劣悪さは、施設の課題としてあげられることのひとつである[15]。

　職場環境および施設職員の仕事のやりがいを詳細に明らかにした伊藤（2007）[16]によれば、施設では20代前半の職員が多数を占め[17]、住み込みなど子どもと居住空間を共にする生活形態も3割を占める[18]。一日あたりの平均的な実働時間は、10時間以上の人が半数近くおり、労働条件で感じる過度の不満や負担感として「労働時間が長い」が65.3％、「有給休暇がとれない」が45.5％、「給与が少ない」が39.4％としてあげられていた。そうした環境において、仕事におけるやりがいや喜びとして、82.4％の職員が「子どもの成長を強く感じた時」をあげており、子どもの成長に喜びを感じながら働いている職員の姿が示されていた。伊藤は、職員が労働状況や職場環境に満足していない状況を指摘し、施設職員はボランティアではなく社会的養護の一翼を担う専門職であるからこそ、現場を強く規定している「お金の問題ではない」「子どもへの愛情が強ければ働き続けられる」という職場環境や労働条件に異議を唱えることをタブー視する風潮を払拭し、職場環境としての施

設のあり方について議論が深められるべきであると主張している。

4-1 「自分だけの」存在ではない

　子どもに対して十分な人数が配置されていない状況において、職員をどう「共有」していくのかは、子どもたちの大きな関心事である。前節では子ども同士がお互いを強く意識しあう面が示されたが、職員をめぐっても、子どもたちは同じようにお互いを強く意識しあっていた。Lさんは、問題行動をとることで職員の注目を得ようとする子どもの気持ちを回想した。

> 先生も面倒起こしたくないもんな。ほんまに。でも、子どもはさ、見てほしいからさ、ヤンチャするやん、わざと。殴ったり蹴ったり、何か壊したり。怒ってくれるだけで、自分に注目が集まるとか思って。「かまってくれてる」と思って、わざとそんなんしてる子もおるし。私も、そうしてたんかなと思って。寂しかっただけやな。（Lさん／23歳／女性）

　逆に、問題行動も起こさず真面目に生活している子どもであればあるほど、職員の注目や関心を得にくい状況があったようだ。「まぁまぁええ子」であったというDさんは、「ほったらかしにされてたんちゃうか」という思いを持っていた。

> 学園では、まぁまぁええ子やったんやけど、自分のなかでは「ほったらかしにされてたんちゃうか」と。やきもちや（笑）。施設の中では、まだ（学力的に）偉いほうやから、「あんたは、偉い偉い」みたいな感じで（職員に扱われ）、問題児に目を向けられるところが腹立ってた。テスト持って行っても、「よっしゃ、よっしゃ（点が）取れてるやん」って感じで、あんま相手されてなかったような感じがする。「もっとこっち向けよ」みたいな、そんなんはあったかな。（Dさん／22歳／女性）

　また、職員が常に「自分だけ」の存在ではないからこそ、DさんやLさん

は、子どもの頃自分に注目してもらったとき、あるいは自分を特別に扱ってもらったときに、「自分だけ」の存在であると実感していた。

> (その先生には)リラックスして愚痴言うし、「やきもち妬いてんねんで」みたいなことも平気で言う。それくらい、結構全部出してた人かな。【その先生が担当でよかった？】何か（特に自分に対して）「会いたい」ってそういう雰囲気の先生やったから。もっともっと私も「愛されたい愛されたい」って感じの人やから、ごっつう見てくれるんが、すごい嬉しかったかな。……ものすごい好いてくれてるなって思ったし。（Dさん／22歳／女性）

> 当時は、（幼稚園への登園時に）行きは車。でも、帰りは先生が歩いて迎えにきて、そのまま公園とかに連れて行ってくれるんやんか。そんときはすんごい楽しかった。子どもら他に6、7人くらいで帰るんだけど、そんときは、施設から離れてるし、先生をみんなで独り占めできるし。先生もそのときはすごい優しかったし。（Lさん／23歳／女性）

しかし、そうした職員からの特別な関わりは、時に他の子どもにとっては「ひいき」と映る。Kさんは、施設での生活においてイヤだったことをふりかえって「先生のひいき」をあげている。

> 先生たちのひいき。……好きな子には、同じことをしてもあんまり怒らなかったけど、好きじゃないっていうか、どうでもいい子はかばってももらえんし。女の先生は、男の子にはやさしい。……うん。差別は一番イヤだった。【明らかに違うことがあったのですか？】うちら外で遊んでたけど、子どものなかでも「この子がおったら、先生は怒らんからその子を連れて遊んどこう」とか。そういうのは（あった）。その子がおったら、そこまで怒られへんから。今思えば汚いけど。（Kさん／31歳／女性）

4-2 「迷惑」を意識する存在

　職員との関係性を表現する際に、しばしば「迷惑をかける」、「迷惑をかけない」という言葉が使用されることがあった。

　喘息を抱えていたＬさんは、職員に対して「迷惑をかけてはいけない」という気持ちを強く抱いていた。規則どおりに進んでいくことに価値が置かれた集団生活においては、それを遂行する立場として職員が存在する。Ｌさんは、自分の発作によって、仕事をする「先生の手を止める」ことを何よりも避けようとしていた。自分の喘息が時として規則正しい流れを止めてしまうことに罪悪感を持ち、「お荷物である」と認識していた。

　　「迷惑かけたらアカン」って思ってんやろうな。そのときから。……喘息あることで、寝ている周りを起こしてしまうやん、これ迷惑やろ。先生の仕事も止めてしまうやん、これも迷惑やろ。……めっちゃ思ったで。……喘息は、ほんまにイヤやった。……私は、「お荷物や」って思っとってん。「あんた、またかい」って言われて。……しょっちゅうやで。「咳止め！　咳しな」って。うーって止めんねん。【でも、出るんやろ？】出る出る。（Ｌさん／23歳／女性）

4-3 話を聴いてくれ信頼できる他者

　最後に、職員が心の拠り所となっていることを伝えるエピソードを紹介しよう。ＤさんとＨさんにとって施設職員は、日常の話、悩みごとなどを聴いてくれる存在、受け止めてくれる存在であった。

　　（中学１・２年は、クラスの中に全然溶け込めなかったため）帰ってきたら施設の先生、夜勤担当の先生にずっと愚痴言ってて。「死にたい、死にたい」とか（笑）。（Ｄさん／22歳／女性）

　　【施設自体の印象はどうでしたか？】もう感動、めっちゃ感動しました。普通のことなんかもわかんないですけど、皆が自分の話を聞いてくれる

から。私、めっちゃ感動したんですよ。皆が自分の話を聞いてくれて、めっちゃ受け止めてくれたから。それが感想ですね。【職員さん？】はい。先生たちが、まず自分の話を聞いてくれるってのがデカかったです。「聞いてる！（私の）話」みたいな。今までそんなことなかったので。だからすごい感動しました。「すごい、いい場所じゃないですか！」みたいな。（Hさん／24歳／女性）

　Hさんは、家庭にいた頃には、特に問題行動を起こしていなかったが、施設に入所して以降、万引き等の問題を起こしていた。「ただ、何となく」万引きをし担当の職員を悲しませ、迷惑をかけたという。そこには、「困ったら、先生がいてる」という気持ちがあった。職員の存在への信頼があるからこその問題行動であることが推測される。

　謹慎処分を３回受けました。でも、全部施設にきてたんで（笑）。大して受け止めてなく（笑）。めっちゃ、ワガママでしたね、はい。めっちゃ迷惑かけてました。担当の先生は、だいたい、泣きました。泣いてました。「ちゃんと考えてる？」、「ほんとに重たい」って言われて。やったことに関して、何も思ってないんですよ。悪いとさえ思ってなかったので。でも、施設が後ろにいてるってのがあったから……皆がやってくれると思ってました。「何か困ったら、皆がいてるし、先生がいてる」みたいな。【今ふりかえって、何であのとき万引きしたんかな？】物が欲しいとかじゃなくて、ただ、何となく。（Hさん／24歳／女性）

　Ｉさんは、夜遅くまで話を聴いてくれた職員のエピソードを紹介した。勤務外の時間であっても職員たちがＩさんの相談や話を聴いてくれた経験は「嬉しかった」思い出であるという。

　普通に、（夜中の）１時、２時のときもあって。【ええっ！】普通に先生ちゃんと聞いといてくれて。【でも、消灯って、さっき言ってはったように

10時とか11時とかじゃ？】いや、部屋は消えるんですけど、職員室のほうで聞いてくれて。勤務11時ぐらいで終わりやのに、勤務外のそういうの聞いてくれて。そういうの嬉しかったですね。けっこう何か、けっこう話し込んでたら、時間ぱっと過ぎてることとかありますね。だからそういう感じで。（Ｉさん／19歳／男性）

Ｂさんは、母が亡くなって葬式を出したときに施設職員が力になってくれたエピソードを紹介してくれた。施設退所後の現在においても、職員は彼女にとって信頼できる他者なのである。

最初は悩んで（家に）帰りたかったけど、先生たちがすっごいいい人で。他の施設はどうか知らへんけど、ほんまに。いまだに連絡があったり、行ったりとかもするし。どの先生もみんなっていうか。いまだに母的存在、父的存在じゃないけど。（Ｂさん／26歳／女性）

施設経験者にとっての職員の存在は、話を聴いてくれ信頼できる他者であり、心の拠り所として存在していた。ただ、「自分だけの」存在ではなく、「迷惑」を意識する存在でもあった。施設で生活する子どもにとって、子ども同士、職員との関係性は、「接近し近しい存在」であるが、「胸の内をすべて明かせるわけでもない」というアンビバレントなふたつの側面があった。職員との関係性において安定した拠り所を疑いもなく確保できる状態というよりは、このふたつの側面を振り子のように行き来しながら、日常を生きていた。こうした状況は、社会的養護の当事者参加推進団体日向ぽっこで活動する渡井さゆりが吐露する「ひとりぽっちの感覚がずっと拭えなかった」という気持ち（日向ぽっこ，2009：13）や「集団の中のひとり」にすぎない存在として育てられること（日向ぽっこ，前掲：87）と通底する。

5　施設での生活をふりかえって

　最後に、経験者たちが施設生活をふりかえってどう意味づけているのかをみていこう。

5-1　施設を全否定することはできない
　前節までに示したような厳しい施設での生活状況をふりかえったうえで、それでも「楽しくなかったとは言いたくない」。そんな複雑な心境をLさんは吐露している。

　　毎日が、キャンプやな。私は楽しかった。うん。楽しくなかったとは言いたくない（笑）。絶対に言えへんで。苦痛やったとかあるんやったら、喘息だけやけど。でも、喘息があったおかげで、先生独り占めできたやろ、お見舞いにも来てくれたやろ。勉強は遅れたけど。喘息のおかげで、みんながかまってくれたやろ。ラッキーやん。（Lさん／23歳／女性）

　同じく、Cさんも「施設を全否定することはできない」と語る。「そこ、家ですからね」と語るように現在の自分にとっても必要な場所であることを認識しながらも、現在の施設形態がもたらす弊害を思い返し、「何とかならへんかな」と考えていた。

　　施設みたいな形態をなくしたらいいと思う。……大人数、50人でひとつの建物に生活すること自体に無理があると思うし、やめてしまえと。……【施設にいて良かったことないですか？】ありますけどね。はっきり言って施設を全否定することはできないですよね。ずっとそこ、家ですからね。だから、いろんな子と出会ったり、いろんな先生と出会ったり、いまだに施設にもよく行くし。でも、この形（形態）とかおかしいんちゃうかなっていうのは、ずっとありますね。好きですけどね、施設

好きやけど……もっとね、何とかならへんかな。（Cさん／22歳／女性）

5-2　施設をもっと変えてほしい

　施設を「もっと変えてあげてほしい」という具体的な要望も語られた。施設職員のあり方、施設内における暴力について、もっと子どもの声を聴いてほしいと訴えるものである。

　ある対象者は、「施設とかもっと変えてあげてほしいと思う。……生活とか、先生とか。『ちゃんと、よくない先生はよくないよ』ってことを。たぶん、先生ら同士で決めてるけど、その先生らを見てるのは子どもらやから。その子どもたちの意見をどうでもいいじゃなくて、子どもの意見も聞いてほしいとは思うな」と語ってくれた。

　養護施設に入った後の、問題の解決とかもはっきりしてほしい。「闇工程」とか、あってはならないことだと思うんですよ。「天下一武道会」とかでも。見て見ぬフリをしてるのもおかしい。気づかないっていうのも、気づこうとしないんです、もしかしたら先生らとか。僕らも声を発していかないといけない。そういうのも、もっとあってもいいような気もします。（Mさん／21歳／男性）

5-3　人には恵まれている

　本調査をすすめるなかで、何度か耳にした言葉が「人には恵まれている」というものであった。施設で生活したことを自身の転機としてとらえ、施設で生活したことを肯定的に受け止めたものである。

　Ｉさんは、施設で生活していた当時、周囲の人が覚えているほど「帰りたい。帰りたい」と話していたように、家に「帰りたい」気持ちで頭がいっぱいであったという。しかし、現在からふりかえって考えたとき、自立への道を築くうえで、「施設が大切だった」、「助かった、ありがたい」といった当時とは異なった評価をしていた。

施設では、まあ楽。順調でしたね。【仲介者：何が順調や。よう言うわ。お前、「帰りたい。帰りたい」言うてたやないか。】それはずっとありましたよ。別に高3とかなっても、やっぱ「帰りたい」っていうのはありました。誰にでも言ってましたね。……やっぱりイヤでしたね。そんな、理由はあんまないんですけど。「家で過ごしたい」みたいな。たぶん、理由は「好きなことができない」とかあったと思うんですけど。軽く縛られてるじゃないですか。イヤやったんはイヤやったんですけど、でも、行ってプラスになったとは思ってます。……施設に入ってなかったら、絶対今は、学校行ってないのがずるずる続いてて、たぶん今でも人としゃべるのが苦手なままだったと思うし。将来、「大学とか行きたいな」とか、そういう自立への道みたいなのも、施設で築けたと思うんですよ。それを築けたのは、一番施設が大切だったと思うし。よく「施設入りたくても入れない人がいっぱいいる」って言うじゃないですか。「そんなんやったら、僕みたいなやつ入れずに他のやつ入れたらいいじゃないか」みたいなこと思ってたんですけど、今は僕を入れてくれて、「助かった、ありがたい」みたいな感じです。（Ⅰさん／19歳／男性）

Hさんは、「人を信じるのもいいな」と語る。本人が「裏切ってましたけど」と語るように、度重なる問題行動を引き起こしても、あきらめずに見離さずにそばにいてくれた職員の存在は大きかった。施設で生活することで、笑うようになり、ワガママを言うようになり、子ども時代にできなかったことを取り戻すHさんの姿があった。

施設に入ってから、「人を信じるのもいいな」と思いました。信じてもらって、信じていたい。めっちゃ裏切ってましたけども、何回も、そのなかでは。それでも、あきらめずに、離さずに、ずっといてくれたんで。「そんなことしたらアカンな」と思いましたね。……その施設に入ってからね、めっちゃ笑うようになったし、ワガママも言うし。何かね、年々ワガママですね。小っさいとき、そうでなかったから。今はワガママなん

ですよ（笑）。（Hさん／24歳／女性）

　「自分はひとり」と思っていたHさんは、施設に入ったことで自分がよい方向に変化したと感じていた。「人よりは、たぶん恵まれてる」、「施設に入ってよかった」とふりかえっていた。

　　（施設の）先生とかは「施設に入ってよかったね」って言ってくれます。自分も「よかったな」って思います。○○先生なんか、「グレることなく、育ってよかったね」って、「ここに来てよかったね」って言ってくれます。そう、自分も「よかったな」って思います。うん。だから、人よりは、たぶん恵まれてるなと思います。……【施設に入ってなかったらとか？】思うとき、めっちゃありましたよ。今みたいじゃないと思います。たぶん、変わってないと思います。小中高と。変わらず行って。「自分はひとり」って思ってましたもん。ずーっと。でも、入ってからは思わなくなりました。【人には恵まれてるって…】めっちゃ思いました。【そういうことを思うようになったのは、どれぐらい？】施設出てからですね。出てから。「周りがおって、自分がおるんやな」って思いました。（Hさん／24歳／女性）

　ここで紹介したHさんは、施設で生活している間に「入ってよかった」と評価している。他方、Iさんは、施設を退所してから何年かして自らをふりかえるなかで「助かった、ありがたい」という言葉を表出している。子どもの施設に対する評価は、時期によって揺れ、一定の年月が必要であることを考えさせるものである。同時に、厳しい状況にあった子どもの生を支えた施設および職員がなし得たこと、その意義を伝えてくれるものである。

おわりに

　本章では、児童養護施設という環境、生活する子ども同士の関係性、児童養護施設職員の存在という、児童養護施設における生活世界を描き出してきた。施設経験者たちの語りを引用しながらその生活状況を明らかにすることで、施設で生活する子どもや若者にとって施設での生活がどのようなものであったかという施設経験者たちの生活世界の一端を示すことができたと考える。全体的な状況を描き出していくことに主眼を置いたため、個々の重要なテーマについての詳細な検討は不十分な点が多く、今後の課題としたい。

　まとめに代えて、施設という世界をいかにして生き抜いてきたのかということを伝える語りを紹介したい。それは、「仕方がない」というあきらめおよび我慢とどう折り合って生きるのかという語りである。ある対象者にとっての施設生活は、決して十分とはいえない施設環境に対し、「仕方がない」と我慢する日々、「そこにおることが我慢」の日々であった。「イヤっていうか、しゃあないな、みたいな。何だろ。我慢ていうか、そこにおるのが我慢かな」。

　Cさんは、「仕方がない」とあきらめてしまうことは、施設経験者たちのひとつの傾向であると言う。思いをぶつけるところがないなかでの生き延び方として、「仕方がない」「あきらめる」「我慢」という行動の選択を行っているというのだ。

> 施設で生活してる子って、「何で、自分はここにいないといけないんだろう」とか、出てからも「何で、自分だけこんなしんどい思いしないといけないんだろう」ってなったときに、怒りとか思いをぶつけるところがなかったりとか。「しょうがない、もう、しょうがないやん」とあきらめてしまうことがすごく多かったし、それは結構どの子も持ってるんじゃないかなぁと思うんですけど。（Cさん／22歳／女性）

Lさんは、Cさんが語るあきらめのプロセスをより詳細に説明した。最初は要求を出していても、それがかなえられない状況において「あきらめる」ことを学習するという。「抑えつけられて生きる」ことが日常となっていく過程によって、あきらめることが身体化されるのだ。

> 「あれせえ、これせえ」やったからな。聞くより……。規制されたことをただこなすだけ、数を。それに間違ったら怒られる。怒られへんためにはどうしたらいいかっていったら、黙ってやるだけやんな。軍隊や（笑）。でも、私4歳のときから入って学んだことは、最初は、何か「欲しい欲しい」って言っとってん。でも、だんだん「欲しい」って言っても怒られるし、買ってもらえへん、どうせ。わかったら、子どもって学習するんか知らんけど、言えへんようになるやん。物欲もなくなるし、無理ってわかってるんやったら、「言っても一緒やん」って、言葉発せへんようになるかも、と思うし。だから、欲しいもんていうのが、（高校1年生のときに試験でよい成績をとって手に入れた）携帯が初めてぐらいっていうぐらい、抑えつけられて生きてきた。（Lさん／23歳／女性）

　「仕方がない」とあきらめること、我慢することが施設を生き抜く術のひとつであることが、Cさん、Lさんの語りから読み取れる。施設を退所した若者は、十分に頼ることのできる人間関係および経済的な後ろ盾といった社会資源がないまま社会で生きていくことを余儀なくされる。厳しい状況において、人生を切り盛りしていく力が求められるのだ。しかしながら、施設を生き抜く術である「仕方がない」というあきらめは、退所後、施設経験者たちが主体的に生きようとするときに有効に作用するのであろうか。むしろ、足かせとなるのではあるまいか。今後、児童養護施設生活者あるいは経験者の自立支援を考究していくときに、こうした施設経験者たちの身体化された習慣をも考慮にいれる必要があるだろう。

　同時に、「施設をもっと変えてほしい」という思いも含めて立ち上げられた施設経験者による当事者活動は、そうしたあきらめや無力感を抱えながらも

自分たちの手で発足させたのである。

　本調査対象者は、施設生活期間が長い人とそうでない人が混在している。本章では、そうした施設経験年数の違いが、施設に対する評価や施設での経験、本人自身のありようにどのような差異をもたらしているのかについて検討することはできなかった。今後、「児童養護施設生活者／経験者」に共通する課題とともに、入所背景など施設経験者の個別で多様な実態とニーズを明らかにする必要があるだろう。

注

（1）全国の一時保護所の状況は、定員最低4人から最大60人までさまざまである（安部編, 2009：27-28）。規模によって入所期間は大きく差があり、年間の延べ入所児童数を365日で割った一日平均の入所児童数は、1人に満たないところから最大66.0人と幅広い。安部編（前掲）は、一日あたりの平均入所児童数で小規模、中規模、大規模に3つにタイプ分けをしている。ただ、安部編（前掲）においては、これら3つのタイプの一時保護所がどの自治体に該当するかは明示されていない。筆者が児童福祉関係者より得た情報では、大阪府の一時保護所は50人規模、大阪市の一時保護所は70人規模であり、大都市の一時保護所は大規模であると類推される。小規模な一時保護所（一日平均の入所児童数が7人未満、全体の46％を占める）は平均入所期間約2週間、居室はおおむね一人で一部屋を使用、生活面積も約30畳であるが、大規模な一時保護所（全体の24％）は定員以上の入所があり、一人平均の入所期間も35日となり、1カ月を超えている。

（2）家庭引き取りの場合は、子どもが地域で生活していくための支援を整備する必要がある。乳幼児の場合は保育所入所、障害のある子どもの場合は障害児サービスの活用など関連機関との調整が欠かせない。児童福祉司は、多くのケースを抱えながら、そうした地域における条件整備および環境調整を行う。その条件整備のために一定の時間が必要となってくる。

（3）児童福祉法28条に定められた事項。虐待等により保護された子どもが施設に入所する場合には親の同意が必要であるが、時としてそれに親が同意しないことがある。その際、児童福祉司は、施設入所が子どもにとって最善であることを家庭裁判所に申請し、審判の承認を得て子どもを施設に入所させる措置をとる。

（4）2006年度、2007年度に全国の一時保護中の小学校4年生以上の子どもに対するアンケート調査。2006年度調査では50カ所431人、2007年度調査では50カ所372人の回答を得ている（山屋, 2009：144）。

（5）説明によって自分が納得「できた」子どもは47.0％、「少しできた」子どもが21.8％、「あまりできない」が10.8％、「全くできない」が12.4％であり、自分の保護理由にあ

る程度納得して入所する子どもは全体の7割という結果である。また、一時保護所の説明は「された」と回答した子どもは68.5％であるが、「わかりやすい」と回答した子どもは54.8％であり全体の半数にとどまる。
(6) 7割以上の一時保護所が中卒で無職の子どもや発達障害の子どもを受け入れた経験があり、不法残留者の子どもについては3割弱の保護所が、性的加害行為のあった子どもでは4割弱が受け入れた経験をもっている。一時保護所では、多様で混乱を抱えた子どもたちが混在し、生活しているのである（安部編、2009：32-33）。
(7) 有村大士（2009：57-62）によれば、対応困難場面としては、職員への反抗（50.5％）、興奮・パニック（42.3％）、器物破損（36.0％）、無断外出（32.4％）、子ども間暴力（27.0％）、対職員暴力（21.6％）があげられる。また、こうした対応困難場面が生じる背景には、非行児の重複入所（26.8％）、入所期間の長さ（25.9％）、入所児童の多さ（24.1％）、職員数の不足（23.2％）、一時保護所の狭さ（23.2％）がある。
(8) 全国児童養護施設協議会（2010：4）によれば、施設の規模は、ひとつの建物に20人以上が一緒に生活する大舎制が327施設（56.9％）、13人から19人で生活する中舎制施設が65施設（11.3％）、12人以下で生活する小舎制施設が112施設（19.5％）、その他の施設が71施設（12.3％）である。
(9) 大阪市児童福祉施設連盟養育指標研究会（2010：103）によれば、「一人になれる場所」は、ルームメイトのいない居室、トイレ、屋上、屋外などであり、施設内のスペースもあげられているが、施設外のスペースも同程度示されていた。
(10) これらのことは、調査研究によっても示されている。大阪市児童福祉施設連盟養護部会処遇指標研究会（1998）によれば、施設職員から受けた体罰の経験については、「よくある」「時々ある」を合わせて半数を超える64.5％にあたる子どもが「ある」と答えていた。10年後の2008年に実施された大阪市児童福祉施設連盟養育指標研究会（2010：77）においては「よくある」「時々ある」を合わせると38.2％と減少した。しかし、子ども同士のいじめに関しては、1998年調査において施設内でいじめられた経験について全体の39.7％にあたる子どもが「経験がある」と答えており、2008年調査においても31.9％にあたる子どもが「よくある」「時々ある」と回答しており、それほど大きな変化はない。黒田邦夫（2009）によれば、東京都内の児童養護施設において、調査期間である一週間の間に児童間の身体的暴力が起きた施設は24にのぼり、これは回答施設の半数にあたる。身体的暴力をふるった児童の男女比は、無回答を除くと男子対女子は2対1、週1回以上の暴力をふるう子どもの7割弱が、暴力を繰り返す傾向があった。
(11) 施設内虐待の発覚は、1990年代以降、家庭内での虐待が発覚し社会問題化するようになった時期と重なる。特に、1996年4月に発覚した千葉県の恩寵園事件は、児童養護施設における暴力の問題を大きくクローズアップすることになった。2000年以降においてもそうした報道は止まらず、野津（2009）によれば、1993年1月から2007年9月までに、児童養護施設78施設、児童自立支援施設6施設、計84施設において人権侵害等不適切な対応が行われていた。この数字は、2007年4月現在の児童養護施設総数558施設中の14.0％、児童自立支援施設58施設（国立2施設含む）中の10.3％に相当し、

看過できない状況にあることが指摘されている。こうした状況に対し、全国養護施設協議会および厚生労働省は、各種通知および法令を出し、2009年には児童福祉法が改正され、施設で生活している子どもの虐待防止に関する通告義務や通告があった場合の都道府県や都道府県児童福祉審議会等が講ずべき措置等施設内虐待の防止のための規定が設けられた。これらの動きについては、林浩康（2009）、村田紋子（2010）が詳しい。
(12) 子どもたちの声をもとにした書籍（神田編著，1992；『子どもが語る施設の暮らし』編集委員会編，1999；2003）においては、これまでも被害体験が語られてきた。また、子ども同士のリンチによって小さな子どもの命が失われた事件を詳細に描き出したものに倉岡小夜（1992）がある。子ども同士の暴力は現在に始まったことではなく、昔から存在しており、日本だけではなくイギリスにおいても生じていた（Barterほか，2004＝2009）。
(13) 大阪市児童福祉施設連盟養育指標研究会（2010：69）によれば、「がまんする」という回答が3割、施設職員に相談する子どもが38.1％、施設の仲間に相談する、あるいは学校の友達に相談する子どもが16.1％、家族に相談する子どもが12.7％であった。
(14) 数少ない研究として杉山登志郎・海野千畝子（2009）がある。ある児童養護施設で発生した子ども間性的虐待について、性的加害・被害が連鎖しており、施設で生活する35名の子どものうち被害に該当しなかった子どもは2名しかいなかったことを明らかにした。
(15) 日本弁護士連合会（2006）は、児童福祉法において定められている児童福祉法最低基準の低さが職員配置基準を低くしケアの質に影響を与えていると指摘し、施設で生活する子どもの権利を守るうえでの問題点をあげている。それは、①学習指導の不足、②規則により管理される生活、③体罰、④子ども同士の傷つけあいが防止できない、⑤家庭調整やアフターケアが困難の5つである。また、設備・スペースなどの物的基準の課題として、①居室面積自体がやはり狭い、②大部屋に大人数の過酷さ、③家庭とは程遠い、④建物が古いことが多い点をあげる。すなわち、児童養護施設で子ども時代を過ごすことは、十分に保障されている生活環境にあるとは言い難いのである。
(16) 伊藤（2007）の調査は、全国554カ所（2001年4月当時）の児童養護施設に対し、質問票を4通ずつ配布し回収した。回収票は824票で、回収率は37.2％である。
(17) 伊藤（2007：72）の調査において、児童養護施設職員の最終学歴は、短大・専門学校卒業が最も多く全体の49.5％を占める。勤務経験年数は「2年目」が46.7％、「3年目」が31.8％である。
(18) 労働環境については、施設に住み込んでいる職員が全体の14.7％、施設敷地内の寮から通勤という形態が全体の11.9％であり、合わせて26.6％にあたる施設職員が子どもと居住空間をともにしていた（伊藤，2007：78）。

第2部

学校から職業へ

第2部

第3章

施設の子どもと学校教育

西田芳正

　本章では、12人の語りと施設経験者の手記などを素材とし、施設の子どもたちの学力状況と学校経験について整理していく。まず、子どもたちの低学力状況が本人の能力によるものではなく、生まれ育つ家庭環境から来る大きな不利を抱え込まされた結果と、施設・学校における学習支援の不足によってもたらされたものであることを、「強いられた」、「放置された」低学力状況として明らかにする。「能力の低さ」という見方が、現状を正当化する論理として機能している点も重要である。

　そして、施設の子どもたちの学校での経験についてみると、学習面にとどまらず、「親がいない」、「施設で暮らしている」ことに対する周囲からの偏見に直面することからも困難な経験がもたらされている。施設の子どもたちは学校教育においても排除されてきた存在であるといえるが、本章の後半では、組織的な取り組みで施設の子どもを支えてきた中学校の実例を紹介し、排除に抗する学校の可能性について、また、施設と学校の協働のあり方についても検討する。

はじめに

　学校教育は、人々の生活にとって非常に大きな意味をもっている。子どもたちが日々の生活のうち多くの部分を学校で過ごしているだけでなく、学業成績とその結果として得られる学歴がその後の人生を大きく規定していることは改めていうまでもないだろう。本章では、児童養護施設で生活している子どもたちが学校教育をどのように経験しているのかに焦点を当てる。親を頼ることができない子どもたちを支える方向で学校教育は機能しているのだろうか。また、施設と学校との連携はなされているのだろうか。

1　施設の子どもの低学力傾向

1-1　低学力の実態と背景

　今回の調査対象者の多くが、学力面でたいへん厳しい状況にあったことを語っている。そのうちの何例かを紹介しよう。それぞれ、幼少期から施設で過ごしたCさん、施設入所以前に学力がたいへん低かったというBさん、施設で一時生活した後中学を卒業したが基礎学力に欠ける状態にあり、職人としての仕事では順調であっても生活面で大きな困難に直面していたJさんである。

　　（施設には）勉強できなかったりする子が多かった。私も、時計の原理が小学校5年生くらいまでわからなくて。あと何分後で10分後とか、何かそういうの、全然わかんなかった。（Cさん／22歳／女性）

　　（施設に入って転校した先の学校で）困りました。勉強についていけへんすぎて。中学2年でほぼ遊びほうけてるから。転校した時点でアルファベットが全部読めへんかった。（Bさん／26歳／女性）

自分も字が書けなくてですね。小学校もすごい行ってないので。……切符を買う駅の漢字が読めない。駅に着いて、(ホームにある駅名の看板に) 唯一ひらがなで書いてあるのが、その一個先の駅と一個手前の駅なんですよね。で、電話とかで「どこにいるの」って聞かれたときに、「どことどこの間の駅」っていう感じで。(Jさん／31歳／男性)

　それでは、施設から学校に通う子どもたちはどのような学力状況にあるのだろうか。やや古いデータであるが、貴重な研究として高口明久らによる調査がある。中国・近畿地方の養護施設で1988年に中学校を卒業した575人について施設職員が回答したデータを分析した結果、たとえば中学3年2学期の学業成績を見ると、「評定2以下（特殊学級を含む）の比率をとってみると英語72％、数学70％、国語54％、理科63％、社会54％となっており全般的に低学力が目立っている」(高口編, 1993：117)。
　今日、改めて学力状況が調査等によって把握される必要があるが、今回の対象者の経験を通しても、低学力状況が大きく改善されてはいないというべきだろう。
　それでは、施設の子どもたちの低学力をもたらす背景、要因はいかなるものだろうか。
　施設に措置される子どもたちが、不安定で困難の多い家庭で生まれ育ってきたことは1章で詳述されている。そうした状況の下では、家庭での学習どころか、安心して日々を過ごすことも、将来に目を向ける余裕もなかったことが容易に想像できる。「何かから逃げ回っていた」、「お母さんが出て行く場面だけは」、「ぼろぼろの家で、夜中父母が喧嘩している様子」を幼少期の記憶としてとどめていると語る対象者たちの子ども時代は、まさに「学力以前の状況」、つまり、安心して勉強できるような生活ではなかったというべきである。
　そして、彼／彼女らが学校に通い始めると、家庭での学習条件の不備、不安定な生活が授業の理解を阻害することで「勉強がわからない」状態が惹き起こされ、学年が上がるとともに、不登校や非行としても現れていく。

中学校2年になったらほとんど学校行ってないですよ、遊びまわって。普通に昼から登校みたいなことも普通にしてたし。授業も、私が行ったら授業にならへんくらい、もうワーって騒いでたし。……家がたまり場になってみんな遊んでる。(Bさん／26歳／女性)

　それでは、児童養護施設への措置が決まり入所する段階で、子どもたちはどのような経験をするのだろうか。2章で説明されている通り、ほとんどの子どもたちは一時保護所での生活を数週間経験する。そこでなされる教育面の働きかけについては、担当職員の数や資格等についての断片的な報告はあるが(安部編, 2009)、多様で深刻な背景をもった子どもに対してあまりにも貧弱である。保護される子どもの増加と措置先の施設が定員一杯という状況のなかで、保護所にとどまる期間が「一時」とはいえないほどに長期化している事態を踏まえれば、この段階での教育支援が大きく改善される必要がある。
　ところで、施設に入所する子どもたちは、それまで生活していた地域、通学していた学校を離れ、新しい学校に転校することになる。授業の進度や教科書の違い等は学業面での壁となるばかりでなく、友人と別れ、新しい学校での人間関係をつくっていかなければならない。転校は子どもにとって大きな負担となる経験でもある。
　次に引用するのは、施設から母の実家に引き取られたときの経験であるが、転校生の置かれた状況をよく伝えてくれるものだろう。

(中3で)転校したやろ。ほんなら、みんな見に来るわな、「転校生や」って言って。で、私はブッスーって座ってるやろ。なら、いじめじゃないけど無視とかもされるやんか。私も、「何か文句あるんやったら言いにおいでや」みたいな感じで(対応していた)。(Lさん／23歳／女性)

　また、両親の不和や借金問題などを抱えた家族については転居回数が多くなり、それに伴って何度も転校を経験することになる[1]。たとえば、小学校

3年の冬に施設に入るまでの間、他の施設や家庭での生活を繰り返すなかで何度も転校を重ねてきたというMさんは、次のように語る。

> 【ずいぶん転校してますね？】全部で何回やろ、6回くらいしてるんちゃいますかね、小学校は。たぶん。ちゃんと覚えてないんですけど。……（高卒時に）施設離れるときは、ちょっと寂しかったですね。いくら（施設で）地獄みたいなことがあったとしても、やっぱり、人生のなかで一番長く住んだ場所ですからね。そうですね。ひさしぶりに落ち着けたっていうか、そういうのもあったので。（Mさん／21歳／男性）

「ひさしぶりに落ち着けた」と回想する彼が経験した「地獄みたいなこと」とは、2章でふれられている施設内での子ども同士の暴力、いじめを指している。子どもたちは、転校がもたらすストレスに加えて、施設という共同生活への適応過程で、より深刻な壁を経験することになるのだろう。施設に入った際の「いじめ」的な経験は何人かによって語られている。

1-2　施設における学習支援

続いて、施設のなかで行われる、学力の定着、向上を目指した働きかけをみていこう。多くの施設が、学習室を設け、学習時間を設定するなどの手立てをとっているようだが、5章でふれられるとおり、「勉強する雰囲気ではない」など学習環境としては問題を抱えているケースもある。また、施設職員が用意する学習課題が、自分の学年や進度に合わないなど不十分なものだったという語りがある。

> 9時から10時の間は勉強の時間って決まっててん。それがまた苦痛で。先生が課題出してくんねん、それが小学5年生の漢字ドリルとかで。何でそんなんしなアカンねんって。そんなんやったら自分で好きなようにやらしてほしいのに、それ言ったら、「何かこいつ気取ってるわ」みたいな感じで（他の）子どもに言われて。「お前ちょっと点数いいからって

調子乗んなよ」って。(Ｄさん／22歳／女性)

　彼女はまた、問題の多い子に職員の目が向けられ、自分はほっておかれた寂しさを話してくれた。このエピソードは、教育達成をより高める方向での働きかけをする余裕が職員にはないという事情も伝えている。

　　学園では、まぁまぁええ子やったんやけど、自分のなかでは「ほったらかしにされてたんちゃうか」と。……テスト持って行っても、「よっしゃ、よっしゃ（点が）取れてるやん」って感じで、あんま相手にされてなかったような感じがする。「もっとこっち向けよ」みたいな、そんなんはあったかな。(Ｄさん／22歳／女性)

　対象者が過ごした施設のなかには、高校受験に向けて学習ボランティアを導入したり家庭教師をつけるところもあり、それぞれ有効な支援となっていることが読み取れる。

　　(大学生のボランティアの人が)すごいよかった。私らの学年、みんな一人ひとりついてくれてた。だから、すごい受験モードっていうのになれた。(Ｂさん／26歳／女性)

　　家庭教師とかついて、一人ひとり見てくれるから、すごいやる気が出て。勉強もなんかガーッて頑張って。……（1つ上の学年で家庭教師をつけたが、子ども2人につき家庭教師1人で効果があがらなかったことを職員も）わかっとって、私らからは、1対1でつけてくれるようになって。【時期はいつからですか？】夏休みくらいやなぁ。1年間はつかんかったよ。夏休み明けてからやな。週1くらいで、1時間くらいかな。(Ｄさん／22歳／女性)

　これらの取り組みは、「何とかして高校に進ませる」という意味での成果は

あがっているとしても、日頃から子どもたちの学力を定着させ教育達成を高めるという面では不十分なものといわなければならない。そしてまた、こうした事例が多くの施設で取り組まれているのかどうかが重要な点であるが、次にみるように、高校進学に向けての働きかけにさえ消極的で、子どもたちを中学卒で社会に出し続けている施設が以前は多数あり、今日なお、教育達成に向けた働きかけは不十分なレベルに留まっているという実態がある。

1-3 「強いられ・放置された結果」としての低学力

　当時は、養護施設の子どもたちを在園のまま高校進学させるのは、さらに3年間も肩身の狭い思いを長びかせるから、かえって早く自立（就職）させた方が幸せなのだ、というような理屈がまかり通っていた。園児の進学率の低さが問題になるたび、園長や養護課長は、そのような主張を繰り返し、「早く自分で生きぬく力をつけてやりたい」などと述べていた。（略）私たちが養護施設児童の進学率があまりにも低いことを指摘すると、「進学も就職も優劣はないのだから、そういうこと（進学率の低さ）を問題にする教師側の考え方こそ問題ではないか」とか、「高校中退者が激増している今日、安易な"高校全入"には賛成しかねる」などと反論されたりする。（略）ほぼ"高校全入"に近い今日、養護施設児童のそれが今なお30％台を低迷しているという差別的現実を、このような理屈によって是認してはならない。なぜなら彼らは周知のように、高校生が増えると部屋も不足するし指導も大変だというような施設の都合や、国から支給される学費では私立高校などへは進めないというような経済的事情によって、ほんとうは高校へ行きたいのに行くことができず、いわば福祉行政の貧困ゆえに学ぶ権利を奪われているのである。（北沢, 1983：85-87）

　これは、養護施設の子どもたちの高校進学の路を開くために施設や行政と交渉を繰り返した埼玉県の中学の教員が、1980年代の初頭に記した文章である。この文章が収められた『ぼくたちの15歳』は、養護施設の子どもの高校

進学問題を世に問うた点で大きな意義をもったが、同書には、劣悪な施設の職員配置と財政状況のもとでは、高校進学に伴う居室や学習条件の整備、非行問題など生活指導の問題や学力保障の問題が職員にとって「実践上の困難」と認識されており、「改めて子どもの人権を擁護すべき立場にある施設職員の人権意識が深く問われざるを得ない」との記述もある（高橋, 1983：157）。

1980年代に入った時点では、多くの施設において高校進学に向けた条件整備、学力向上は顧みられることのなかった課題であったことがわかる。それでは、今日の状況はどうだろうか。

最近の研究としては、ある児童養護施設を2005年からの3年間に退所した人のうちその後の生活状況が把握できる25人を対象に、施設入所から退所後の生活までを追跡した谷口由希子による調査がある。25人のうち中卒、高校中退で施設を出た人がそれぞれ5人と3人、そして、高校入試に不合格だったため施設を出ざるを得なかった人が4人となっている。対象となった施設では、学校とも連絡をとりつつ職員からの学習支援も積極的に行われていたことがうかがえるが、それでもこのようなきわめて低い教育達成にとどまっていることは驚くべきである（谷口, 2010）。職員配置等、従来と変わらない体制では、高校までの進路を保障することすら困難なままだというべきだろう。

学業成績と取得する学歴の程度を左右する要因として、家族の有する経済資本、文化資本、社会資本の多寡、親の意識的戦略的な働きかけの有無が大きく介在していることを教育社会学の一連の研究が明らかにしてきた。施設の子どもたちについて本書で描き出してきたのは、教育達成を支えるこれらの条件に恵まれないばかりか、生育環境が学力形成にとって大きな阻害要因として働いてきたという事実であった。そしてまた、施設入所後、衣食住に関するある程度の条件は確保されても、学習支援については不十分なままにとどまっていると言わざるを得ない。

1-4 「能力の低さ」というレトリック

施設で生活する子どもたちの低学力傾向が、生まれ育つ家庭、そして施設

の環境の不備からくる「強いられた」もの、「放置された」結果としてあることは、子どもたちの生育歴を知る人には容易に理解されることであろう。学力がその後の人生のあり方を大きく左右する現実を踏まえれば、教育面の働きかけが優先課題として設定されてよいはずだが、現実は大きく乖離したものにとどまっている。そうした現実をもたらす背景として、低学力を克服すべき優先課題として認識させないレトリックがあるのではないか。今回得られた語りや既存文献からは、「能力の低さ」こそが、そうした働きをしていることを読み取れる。

先に紹介した埼玉県の教員は、1980年代初頭に県内養護施設の全日制高校進学率が30.4%（県全体は92.1%）という現実に対して、県の社会福祉協議会が発行した報告書に「この進学率の低さには、いくつかの要因があるが、第一にあげられるのは能力の低さであろう。（略）就職を希望した理由の最大なものとして、『成績が悪いから』『能力がないから』を児童自身もあげている」と記されていることを報告している[2]（北沢, 1993：84）。

今日、「能力の低さ」があからさまに言及されることは少なくなっただろうが、「能力が低い」から「学力が低い」ことは当然の結果だと考える施設職員は、今日でも少なくないのではないか。それをうかがわせる語りを引いておこう。以下は、対象者のなかで、現在、児童養護施設の幼児担当職員として働いているJさんの思いである。

> 乳児院から上がってきてる子、施設だけしか知らないっていう子はＩＱも低いと思いますし、人より遅れてますよね、実際は。小学校上げるっていうときに、就学委員会ってのにかけるんですけど、そこで、「その子は仲良し学級」っていう（決定がなされる）。まぁ他の先生たちは経験があってですね、「この子は仲良し（学級）の方が伸びる」って思うんでしょうけど、自分にはそれがどうしても納得ができなくてですね。……じゃあ、この子は本当に「仲良し」（がふさわしいの）かって疑問に思う先生がこの学園に何人いるのかっていう。……（自分には）わからないことだらけで。なぜ乳児から上がってきてる子は発音ができないんだ

ろうとか。「なんとかちて」とか、「エビ」と「ヘビ」がいっしょみたいな。言葉が遅いのかなと思ってみたりとか。……限界は感じますよね。もし自分が３つの身体になれるなら、この子たちはちゃんと育つのかなと思いますけど。（Ｊさん／31歳／男性）

　ここで言う「先生」は施設の職員、「仲良し学級」は小学校の特別支援学級を指している。乳児院から上がってくる子どもの知的発達には遅れが目立ち、就学にあたって「特別支援学級」への入級が選択される傾向にあるが、Ｊさん自身はそこに強い疑問を抱いている。「もしも自分が３倍働いて子どもたちに接することができたら、この子たちの能力は伸びていくのではないか」と自問しているが、他の職員はそんな疑問を抱くことはないと語っている。
　子どもたちの「能力の低さ」が生来のものと捉えられ、「学力の低さ」が疑問なく受け入れられているといえるだろう。
　ところで、学力の低さを本人の能力の低さとして捉える見方は日本社会において非常に強固なものとして浸透している。やや横道にそれるが、ひとつの語りを引用しておこう。

　　勉強については、これ、確実だと思うんですけど、能力はすごい低いと思います。勉強の能力。ほんま、確実なんですけど、めっちゃ頭悪いんですよ。びっくりするぐらい。…………教科書とか読んでて、言葉がよく理解できないんです。（Ｈさん／24歳／女性）

彼女は幼少期に中国から渡日し、両親が日本語をわからないという環境で小学校生活を始めている。日本の学校からの特別な教育支援がなかったことが学習理解が進まない主たる原因であり、自分自身の「能力の低さ」が原因だとするのはまったくの見当違いというべきだが、勉強がわからないのは「自分の能力が低い」ためだと本人は受け止めている。これは、低学力＝低能力と思い込ませる土壌が日本社会に根強く存在していることを想起させるエピソードである。

施設の子どもたちの低学力は、不利な環境のもとで「強いられた」ものであり、支援が不十分なことから「放置された」ものでもあった[3]。そして、「能力の低さ」が原因であると誤認されることで、あるいはそれを口実として、優先課題とされないままにとどめ置かれてきたのである。

　（勉強をまったくしていなかった中学までの自分を知っている）まわりは「すごい」って（自分のことをほめてくれる）。高校行って、短大まで行ってるのがすごいって。……高校入ってからは初めのテストからクラス1、2番くらい。（中学で）最下位やのにトップに上がって、いきなり。びっくりしましたね。「私、やればできるんだ」ぐらいの勢いで。（Bさん／26歳／女性）

　ここで引用したBさんは、1-1で紹介した「アルファベットが読めなかった」女性である。彼女は、高校そして短大にまで進んでいる。周囲が驚きをもって受け止めていると語っているが、低学力が「強いられ」「放置された」ものであり、条件が整えば高い達成が可能であること、決して「能力の低さ」に帰せられてはならないことを彼女の経験は物語っている。4、5章で詳述されるが、冒頭に引いた「時計が読めなかった」Cさんは大学に進み、「平仮名の駅名表示だけは読めた」Jさんは、その後の出会いのなかで定時制高校を経て専門学校で学び、施設職員として働いている。先に引用した、「能力の低さ」のせいにしてはいけないのではないか、という疑問を抱いていたのが彼であり、そうした思いは自身の経験からきている面があるのかもしれない[4]。

2　施設の子どもの学校生活

　「勉強がおもしろくない、わからない」という場合、教室で授業を受ける時間はつらいものになりがちだろう。本節では、授業、学習に限定せず、学

校での生活がどのように経験されているのかについて、語りを素材に描いていく。以下、施設から通う子どもたちのふるまいと思いを、「隠す」、「荒れる」、「ふさぐ」、「揺れる」、「かたまる／つながる」という言葉を通して整理していこう。

2-1 隠す

小学校のときは、（施設のことを）みんな知ってて、隠すとか隠せへんとかじゃなくて、知ってるのが当たり前で。それに対してひどいことも言われなかったし。……（それが中学校に上がると）3つの小学校から来るんです。そのうち2つの小学校は全然施設のことを知らないし、あることも知らないので、何か隠すのが大変でしたね。……中学校になると、「親がいないくせに」っていじめられたりしたみたいですね。同級生の子が同じクラブの子に。「おまえは親がいーひんやろ」みたいな。（Cさん／22歳／女性）

「自分は隠すことはなかった」という場合でも、「周囲の子たちは隠していた」と語られることがほとんどであったことから、児童養護施設の子どもたちの多くが、自分たちが生活している場について学校でふれられたくない、隠しておきたいと願い、そのようにふるまっていたことがうかがえる。「親がいない」こと、施設という特別な場所で暮らすことに対して周囲の子どもたちから向けられる偏見が「隠す」ことを強いており、知られたことで実際に疎外される経験をする子もいる。また、中学校に上がる段階で、施設のない小学校から上がってくる子たちの存在が強く意識されることを複数の対象者が語っており、高校に上がっても同様の経験が繰り返されるという[5]。

2-2 荒れる

施設の子って不良っていうか、ヤンキーな子が多いんです。……どっちかなんですよ。私はもう、何かこう隠れて生きるタイプで。……中学校でやっぱり、全然変わりますよね。小学校6年と中1ってのはもう何か

全然違う。中1デビューですよね。デビューできない子と、全然違いますね。ほんとに何かすごいうまい具合に分かれるなって思う。(Cさん／22歳／女性)

　施設で暮らしていることを強く意識せざるを得ない子どもたちは、対照的なタイプに分かれていくのだという語りが興味深い。「ヤンキーな子」か「隠れて生きる」か。ここでは前者について、その背景を整理していく。
　まず、周囲から向けられる偏見を意識し、劣等感をはねかえす手段としての「荒れ」があることを示唆する語りがある。

(中学校に入って)僕、問題をよぉ起こしましたわ。暴力、ケンカとか。いじめとかもやりましたね。……引け目を感じましたね。とりあえず、何か、「なめられたらアカン」って思ってたんで。……【学園から来ているからという意識はあったんですか？】結構ありましたね。……「なめられたら終わりや」と。【上の子から言われて？】ちょっとは言われましたね、「学園って知られるな」って。「知られたら、友達が少なくなる」って。(Mさん／21歳／男性)

　それとは別に、愛情を求め、周囲からの関心を引くために目立つ行動、反抗的なふるまいがなされる場合もあるだろう。以下は施設内での生活についての語りだが、学校においても同様なふるまいが見られることを指摘する教員の声がある。

子どもはさ、見てほしいからさ、ヤンチャするやん、わざと。殴ったり蹴ったり、何か壊したり。怒ってくれるだけで、自分に注目が集まるとか思って。「かまってくれてる」と思って、わざとそんなんしてる子もおるし。私も、そうしてたんかなと思って。寂しかっただけやな。(Lさん／23歳／女性)

また、中学生活の終わりが意識され始める頃、進学の路を閉ざされ社会に出ていかざるを得ない子どもたちがその思いをさまざまな形で表すことがあるという。

> 　３年生になると、１、２年生で落ち着いて生活していた生徒が崩れてしまい、それまでの努力を無駄なものにしてしまうことが数年続きました。万引き・不登校・授業のエスケープだけでなく、施設内でもトラブルを起こしました。ベッドの中で布団をかぶっている子の横に座って、「しんどいんか」と声をかけても、かろうじて「もうええんや」という自暴自棄な言葉しか返ってきません。数年、進路決定期になるとこのようなことが続きました。荒れる原因はいろいろありましたが、卒業時の進路がふさがっていることが最も大きな原因でした。（西宮市立山口中学校人権教育部, 2004：73）

たとえば、このような実践報告があるが、それが近年の状況についての指摘であることが留意されねばならない[6]。

2-3　ふさぐ

　「荒れる」タイプの対極に「隠れて生きる」子たちがいるとの指摘があった。そうした子どもたちの内面をつぶさに読み取ることは難しいが、いくつかの語りからは、答えの出ない問いを繰り返していることが十分に伝わってくる。

> 　中学のときは、何かもうやる気がなくて、死にたい、とか、何で生まれてきたんやろとかずっと思っとって。何か、ここにおっても必要とされている感がないし、学園に帰っても必要とされてる感がないし、「私を必要としてくれる人なんていてないのに、何でおるんやろうこの人たちは」って思いながら、結構授業中考えてたら、勉強全然せーへんやろ。（Ｌさん／23歳／女性）

(中学1、2年は)ほとんどひとりやって、帰ってきたら、学園の先生、担当の先生にずっと愚痴言ってて。「死にたい、死にたい」とか。そこで命名されて、「ネガティ子」って。すごいイヤやった、生きてるのがイヤやった。学園帰ってきて、すぐパジャマに着替えて布団ひいて寝てたもん。(Dさん／22歳／女性)

2-4　揺れる

　施設で生活する子どもたちにとって、家に戻れる、親元で暮らせるかどうかは非常に重大な事柄であり、その見通しが子どもたちの支えとなっている場合がある。

> 小学校卒業時点で家に帰るケースがあって、それを楽しみにしている子どもがいるんです。それが支えになって落ち着いていた子が、中学もそのまま施設にいることになってしまい、裏切られたといって荒れるケースがあります。

次節で紹介する中学の教員はこのように語ってくれた。彼は、親元に戻りたいという気持ちを抑えて「施設にとどまり、高校まで終えろ」と子どもたちに迫っているという。ここでは、施設の子どもたちの日々の生活に親との関わりが影を落とす大きな要因となっていることを確認しておこう。小学校の養護教諭からも、「長期の休みや土日、連休の後で子どもの様子が変わることがあります。親元に戻って、いろいろなことがあったという場合が多いです」という経験が語られた。
　施設外の子どもたちの場合も、家での出来事、状況の変化が学校に持ち込まれることがしばしばある。施設で生活する子については、親との関係以外に、施設での日常的な出来事、子ども同士や職員との関係が学校での様子に変化をもたらすだろう。大舎制から小舎制に、小舎制から大舎制にといった施設でのケア体制に大きな変化があった場合に、施設から通う子どもたちが学校で落ち着きをなくしたという教員の報告もある。

2-5　かたまる／つながる

　周囲の子たちからの偏見や境遇の違いについての意識からなのだろうか、施設の子だけでかたまり、施設外の子との交遊が少なかったという回想も何例かあった。

　　(土日は) 学園の子と遊ぶ。外に出なかったんですね。学園の子と一緒に遊びに行くことはあっても、学校の子と遊びに行くことはあんまりなかった。(Ｃさん／22歳／女性)

　　私、学園から出たことない。学校の子と、学校以外で遊んだことないわ。学園から出たくなかったの。別に学校の子とそこまで仲良くなりたいとか (いう思いは) なかったかな。学園から出ぇへんかった。休みの日とかも、ぜんぜん遊びに行かんかった。うち、学園大好きやったから。その代わり、中学1年のときはずっと (学校では) ひとりやった。(Ｄさん／22歳／女性)

　「村の子と学園の子」、「マチの子とヤマの子 (後者が施設の子を指す)」といった言葉が子どもたちの間で使われていたという回想からも、施設と施設外を隔てる意識が双方にあったことがうかがえる[7]。
　それだからこそ、施設外の子との親密な関係が重要な意味をもつことになるのだろう。次に引用するＤさんは「施設の子としか遊んだことはない」と語っていたが、小中学校時代の唯一の例外だった施設外の友人が、自身にとって大きな存在となっていたことがわかる。

　　(小学校5、6年のとき仲良くなった子は) すっごい私のことをほめてくれた子やったんよ。私のことをすっごい好きっていうか。今でもずっと遊んでたりすんねんけど。私と出会って変わったとか言ってくれるし。私も (その子のことを) すっごいあこがれてたし。……(中学3年のときは、その仲良い子と) 勉強頑張ろうていうか、そんな時間が楽しかっ

た。みんなで勉強したりとか、その関係がよかった。（Ｄさん／22歳／女性）

　ここまで、対象者の語りを通して施設から通う子どもたちの学校教育経験を整理してきた。施設で生活していること、離れて暮らしている親の存在などを意識することによって、そして周囲の子どもたちから向けられる偏見への恐れから、施設から通う子どもたちは学校で多くの困難に直面していることが明らかになった。次節ではさらに、施設の子どもにとっての学校の存在について検討していく。

3　学校教育における差別と排除

　授業や学校行事については、親の存在を意識せざるを得ない家庭科の授業で、また、親が姿を見せる参観授業などの学校行事において疎外された経験が語られた。

> 家庭科の授業とかね、ひどいじゃないですか、あれは。中学校高校とずっとイヤだった。小学校だったらね、お母さんの絵を描きなさいっつったら、施設の担当の先生の絵を描くんです。でも、中学校の家庭科のね、何か私、嘘もあまり上手につけないしな。すごいイヤでした。高校のとき、（親が）おれへんことが何かおかしいみたいな感じになるというか、いて当たり前だから。それは結構しんどかったですね。（Ｃさん／22歳／女性）

> （学校で）学園のことを言われると困った。「何で学園なの？」とか。（相手の言葉に差別的な）意味はないんかもしれないけど。だから授業参観とかが好きじゃなかった。そういうときに、よく「（参観に来るのが）何で学園の先生やの？」とか（言われた）。先生が（参観に）来るのがイ

ヤだった。(Kさん／31歳／女性)

　これらの場面では、教員側の配慮が不可欠であるにもかかわらず、目の前に施設から通う子どもたちがいることが想定されていないことがわかる。特に高校では、そもそも地域や家庭背景に対しての認識が持たれにくい傾向のもとで、施設の存在、施設から通う子どもたちの抱える現実が意識されることは少ないのだろう。進路選択に際して費用を準備することに苦慮したCさんは、高校の教員について「そんな問題意識持ってないと思いますよ。学校の先生は施設の子が社会に出ることに対して大変やろなっていうのはないと思いますね。どんだけ大変かとか、お金がないとかそういうのは全然。熱心じゃない限り知らない」と語ってくれた。

　ところで、今回の調査対象者本人からは、学校でのあからさまな被差別経験は語られていない。しかし、施設経験者の手記からは、露骨な形で差別の対象となっている施設の子どもの姿が浮かび上がる。

学校にはあまり行きませんでした。「親がいないくせに」って、いじめられたから。(略)施設に入った後に通った学校は、小学校も中学校も差別する先生ばっかりだった。そうじゃない人もいたけど、ほとんどがそう。／施設から通っている子がいっぱいいたからかもしれない。施設の子は関係していなくても、何か物がなくなったり、問題が起きると、まっさきに「施設の子だろう」って言われた。／PTAとか、親たちもそう。子どもに「施設の子は税金で暮らしているくせに」とか言う親がいると、子どもがそれをマネして言ってくるし。私だけじゃなくて、施設で暮らしている子だったら、そういうことを言われた子は多いんじゃないかな。／だから、施設の友だちがいじめられると、施設の子全員で相手にかかっていったり、いじめた子の家まで文句を言いに行ったりした。でも、そうすると「だから施設の子は」みたいにまた言われて……先生もわかってくれなかった。／先生も同級生の親とかも、「うちの子は施設なんかに入ってない」「施設の子とは別」っていう思いがあった

んだと思う。だからすぐ施設の子と普通の家庭の子を分けたがるんじゃないですか。「そんなに学校に来たくなかったら、施設の子だけでクラス組むか？」と言われたり、ちょっと返事しないだけで、「だから施設の子は」とか。／ひどくなると、体育の時間なんかに意味もなく「施設の子集まれ」って言ったり。そんなのホント、意味ないのに。施設の子に恥をかかせたいのか、おまえたちはしょせん別なんだって言いたいのか、なんだかわからないけど、そういうことはよくあった。そういうときまわりの子たちは、冷たい目で笑いながら見てる。／でも、グレてる子とか、片親（編注：ひとり親）の子とかは仲良くなれた。とくに片親の子。そういう子とはわかりあえるし、なんでも話せる。遊びに行っても家の人もすごく優しくしてくれるんですよ。受け入れてくれるっていうか。／両親のいる子とは本当の友だちにはなれない。まず、親が施設の子と遊ぶのをいやがるから。「施設の子と遊ぶと悪いこと覚える」とか「施設の子といると頭悪くなる」とか、親が言うから、子どもも口にするようになる。（『子どもが語る施設の暮らし』編集委員会編，1999：117-119）

　ここでは、「親がいない」、「福祉に依存した」存在として「一括り」にされ、「問題児扱い」された経験が語られている。程度の差はあれ、こうした経験を強いられている施設の子どもたちは少なくないことが予想される[8]。
　1節で見た施設の子どもたちの低学力傾向は、学校においても特別な働きかけが行われず「放置され」たままである場合が少なくないだろう。学校教育は児童養護施設の子どもたちに対して必要なサポートを提供せず、困難な状況に追いやったままであるという現実を踏まえれば、学校・教員は施設の子どもたちを排除してきたというべきではないだろうか。
　「排除」する側として学校もある、という指摘については違和感を抱かれるかもしれない。しかし、そうした現実から目をそらすことはできない。1980年代になされた現状告発であるが、埼玉県の中学校教員が養護施設児童に対する学校側の「人権無視」と「差別」の実例としてあげているケースを引いておこう。

当時は、特学（遅進児学級）に在籍する園児（引用者注：施設から通う児童生徒）の割合が非常に高かった。園児の全校生徒に対する割合は6％程度であったが、特学では例年その50％以上を園児が占めていた。この傾向は小学校ではとくに著しく、当時、私が調べたところでは実に70％以上が園児であった。（略）学校側が特学編入が適当と判断し保護者（園長）が承認している以上、手続き的にも法律的にも「全く問題はない」ということだったし、そもそも「生育歴ひとつとっても学力の劣りがちな生徒が多いのだから、特学に園児の占める割合が大きいのは当然」ということだったが、実際は教員の定数を増やすための「児童狩り」的傾向があったことは、私たちがこうした現状を問題にし始めたとたん、特学に入る（入れられる）園児の数が急に減ってきたという事実ひとつを見ても明らかであろう。（略）「園児の説得入級などによって現状維持をはかるようなことは今後しない方針である。従来、そのような傾向があったことについては、学校長として深く反省している」旨の発言があった。（北沢, 1983：88-90）

さらに、77年の教育雑誌に掲載された一文を引用して、同校が例外的なものではないことを示している。

(特殊学級の在籍数が減ると）員数合わせの"児童狩り"がはじまるというものです。この特殊学級の員数合わせで話題になるのは、施設の子どもたちであると聞きます。一定の枠を確保するために、施設の子どもを編入させたというものです。（北沢, 前掲：90）[9]

"児童狩り"は極端な事例ではあるだろうが、施設から通う子どもたちがあからさまな差別を受け、さまざまなかたちで困難な経験を強いられ、学力が低い状態にとどめられているという実態は、「学校における排除」と呼ぶべきであり、さらに次章で明らかにされる施設の子どもたちの低学歴傾向は「学

校からの排除」といえるだろう。
　先に、差別する存在としての教員の姿を示したが、同じ手記に「施設に入る前に通っていた学校の先生は親切だった。担任の先生は、『施設に行ったほうがいいんじゃないの』って心配してくれた」などと記されているように、個々の教員からの支援、働きかけがなされていることも事実である。

　　（小学校は）５年か６年の記憶しか残ってないから。施設に入っていたから、（そのときの担任の先生が）何か可愛がってくれて。映画観に行こうとか、ご飯連れて行ってくれたり。いまだに連絡とったりしてる、その先生とは。（Ｄさん／22歳／女性）

　　（中学で友達ができたのは）中３のときに、小学校５、６年のときにすごい仲良くなった子と同じクラスになって。……私、学校の友達がいなかったでしょ、１、２年のとき。で、先生と仲良ぉしてた。担任の先生が、「お前、友達おれへんなぁ」って気にかけてくれた。ちょっかい出してくれる先生やったから、その先生とやりとりして、「あの子と同じクラスにならして」って２年間言い続けて、（先生が配慮してくれて）なったんかなとか、勝手に思ってんやけど。（Ｄさん／22歳／女性）

　　小中は、施設の子に先生が特別にアプローチしていた。テスト前に教えに来てくれる先生がいた。成績が２や３でほんとに低かったから。ただ、日常的にはそんなことはなかった。（Ｃさん／22歳／女性）

　施設の子どもたちにとって生きづらい場所として学校が経験されているなかで、教員によるサポートは必要不可欠であり、そうした働きかけが大きな意味をもっていることが読み取れる。しかし、教員個々人による働きかけには限界があり、Ｄさんの学校経験も総じて疎外的なものであったことに留意しなければならない。
　そんななかで、今回の対象者のなかに、学校が組織として施設の子どもた

ちを強力にサポートしている実例があった。次節で、紹介者として同席した教員の語りを含め、その実践を描いていく。

4 施設の子どもを支える学校教育の取り組み

4-1 取り組みの前史

　仮に校名をＺ中としておこう。この学校で施設から通う子どもたちに対して組織的な取り組みが始まった契機は、施設内で繰り返されていた深刻ないじめ、暴力の実態が学校で明らかになったことであった。先にもふれた、「あんときは地獄やった」、「次の日生きてるのが辛いっていうぐらい追いつめられてた」とＭさんが語る経験である。「チクッたら殺される」、「学園の先生は知ってるわけがない」なかで、当然、学校の教員にもそうした実態は知られないままだったが、凄惨なリンチを受けた子が中学校の保健室に行ったことで事態が知られることになったという。以下、施設の子どもたちへの取り組みを主導していった教員の語りを中心に、Ｍさんとのやりとりも含めて経過と取り組みを示していこう。

　　（暴力を受けた子どもが）気分が悪いって保健室に来て、やっとわかったんですよ。もう身体中あざだらけで。で、関係している学園の子をそれぞれの先生が調べて。……全部、警察で調べてもらって。

　その過程で加害者の２人の子どもが他の施設に措置替えとなったが、その生徒はこの施設で幼少期から生活していた子どもだった。学校側の指導が行き届かなかったために、結果として「その子が生まれ育った故郷ともいえる施設との関係を切ってしまったと受け止めて、学校として学園の子どもを支えるきっかけになったんです」とこの教員は語ってくれた。

　　（その生徒が措置替えで他の施設に移る際）わんわんわんわん泣いてな、

かわいそうやったけど。……あの事件を契機に、中学校の先生が、夜な夜な行くようになったんかな。「こりゃもう行かなアカン、（施設に）任してられへん」いうので[10]。

4-2 学力保障と進路保障

　暴力事件の指導の後、学園で開かれる週2回の学習会に教員が教えに行くという体制がつくられ、個別に教員が訪れて勉強を教えるということも珍しくなかったという。

> 休みの日でも、進学させようと思ったら、ともかく勉強。追っかけて勉強させとったんです。……学校だけじゃなしに。どうせ、学園に帰ったら勉強しませんやん。だから宿題出しといて、「1時間ほどで行くからな」て言うて。学校で6時まで勉強させられて、で、8時ごろまた行って、「早く来い」て言うて。

実際にMさんも「ほんまに、（教員が）地の果てまで来るから。逃げられないですよ。逃げるのあきらめるんですよ」と語っている。
　こうした、子どもたちを高校に進学させたいという思いは、教員集団で共有されたものだった。

> 学年の先生も、学園に高校生をと。高校生の姿を中学生に見せる。目標を持って中学生活をさせようと思ったら、高校生を置かなアカンと。職員会議で話したり。学年の方では、そんな話だったですね。

　インタビューに同席した教員は、当時「施設担当」の役割を担い、担任とともにMさんにも関わっていた。彼の進路指導に特に力が入れられたのは、次のような事情があったからだという。

> この子の家は経済的に許されへんから、私学は無理やったんですよ。他

にもきょうだいおったから、何とか最低公立には入れんと、進路保障ができへんなぁいうことで。絶対に公立に押し上げなアカンいうのが、学年で（話し合われていた）。

　当時、施設側は経済的な理由をあげて高校進学は公立のみとし、私立高校進学は経費を保護者が負担できる場合に限るという方針だった。多くの子どもが進学の道を閉ざされ、あきらめて就職していたのである。教員から語られる「まだ進路保障ができてなかった」というのは、経済的に困難な生徒を進学させることができなかったことを指している。

　進路決定の際には、児童相談所の職員と相談することもあった。「進路のときは、中学校側から呼んだんですよ。児相の担当者、来てくれいうて」。しかし、児相の職員には、措置されている個々の子どもの進路について考慮する余裕がない実態だという。

　　自分が預かった子が中学３年生の12月で進路の問題を抱えてるという意識もないですね。ない言うんか、持てないような実態ですね。抱えてる件数が120人とか。ひとりの職員が。きょうだい２人おったら240人の子ども。

　Mさんはその後、周囲のバックアップと本人の努力により高校進学を達成する。

　　この子が変わって、僕がうれしかったのは、この下の子らがね、この子の名前を出すんですよ。高校生の見本をつくることが、中学生を頑張らすことにつながるなっていうのは、学校でもずっと（話をしていた）。もともとね、この子らね、力を持っとるというのは、思いましたわ。力を持ってる子が、いろんな条件でね、それが発揮できずに。だから、発揮する条件を整えてやれたら。

こうして、Mさん以外にも多くの生徒が高校に進むことになったが、中学側の働きかけは卒業後も続けられた。まず、進学先の高校に、施設から通う生徒の事情が伝えられる。

　　（進学した先の高校には、こういう子が行くからという連絡を）もう、きちっと。合格が決まった段階で、どこの学校にも。

　そして、18歳までは中学校側で卒業生の状況を把握する「追跡指導」が行われ、高校への連絡だけではなく、本人とのやりとりもなされている。

　　進学した子の様子は、高校側に確実に聞いてます。追跡指導を18歳まではするということで。……中３の担任の先生が残っているときは追跡指導を担当するということでしたので（Mさんの場合は担任が連絡していた）。

　Mさんも、「（中学校の先生とは）めっちゃ話しましたわ。【高校に入ってからも？】そうそう。こんなんやねん、とか。いろいろしゃべったりとかはしました。ご飯とかご馳走したり世話してもらった」と語る。
　他に、保健室の先生が相談相手となり、高校を辞めようかと悩む卒業生を支えていたというエピソードも紹介された。
　将来の生活を見越した指導は、アルバイトの世話という形でも行われている。

　　高校に入ったら、アルバイトもさせようということで。アルバイトの先をよう探さん子もいますので、ガソリンスタンドも頼みに行ったし、別の職場の面接について行ったこともあります。（施設を出る際の就職）支度金10万円じゃ、何も買えませんやん。そんで、「金貯めぇ、バイトせぇ」って。

自立支援に向けた働きかけは施設に対してもなされていたが、そちらは実現していない。

　（施設側に）「高3の最後の半年ぐらいは、ひとり暮らしさせぇ」言うとったんですよ。ところがまぁ、なかなか、施設的にね（無理だった）。

　このように、自立支援の仕組みづくりまでは無理だったが、私立高校への進学については施設側に認めさせるところまでこぎつけたという。その際のやりとりについては、以下のように語られた。

　2000年という時期がね、ものすごいよかったと思うんですよ。児童福祉法が変わって、厚生省が、児童養護施設にものすごい強力な指導をしてた時期の子なんですよ。それ以前の子と、それ以後の子、全然違いますよ。それから、県の福祉の方が、各施設を指導したり。それから、施設協議会が、それぞれの施設で支援基準を作ってね。制度っていうのは大きいですね。その制度がなければ、僕らも何ぼ言うてもね、向こう聞かへんですよ。いっつも支援基準出して話する。「支援基準のここはこうなってる。ここの施設はどない受け止めてやってはるんですか」。労働組合の交渉みたいな感じで。あの支援基準が盾になったんですよ。それから、言うだけのことは学校がせなアカンし。

4-3　施設の子どもへの支援

　学校側の支援は学力と進路に関するものだけではない。2節でも触れたが、校内で問題を起こしがちだったMさんに対して、担任の教員が根気強く関わり、日頃の関わりのうえに立って指導がなされていたことがわかる。

　この子の場合は、担任の先生、優しい先生で、かなり世話になったな。この子を守って守って、何とか。……陰になり日向になり、ずぅっとこの子と関わってきてもらった。若い女の先生なんですけど。

Mさんも「（中学）2、3年生の担任。毎日話してましたからねぇ。問題起こすたんびに、先生を泣かした。2年のときが一番ひどかったですからね。いろいろ問題起こして。今思ったら情けないですけどね」と反省する。教員も「中2の終わりから中3にかけては、進路どうするかいうの、それぞれが考える時期なんで、いろいろ指導しますもん」「3年の2学期ぐらいになったら、全然違う姿になってましたもんね」とMさんの変化を語っている。

　先に、「夜な夜な行くようになった」という言葉を紹介したが、教員たちは施設訪問を繰り返し、子どもたちの抱える生活の歴史と思いを聞き取っていった。たとえば登校しなくなった生徒を訪ねて施設の部屋で話すなかで、「いつも誰かいる生活のなかでは、学校を休んで日中部屋にいるときだけがひとりになれる」という思いを知ることになったという。

　働きかけは施設で生活する子どもたちを対象とするだけではない。施設への無理解、偏見をなくすことも重要な柱とされ、取り組みの過程で「施設の暮らしから学ぶ」という人権学習が始められた。卒業生の手紙を教材に、施設への理解をうながす授業で、事前に施設の子どもたちには学習について話をしておくという手順を踏んでいる。

　さらに、「自分のはなし」ができる仲間、施設に遊びに来る、家に遊びに行ける仲間をつくることを目標に施設の子への働きかけがなされる。たとえばMさんについては、「この子が良かったのは、柔道部のいろんな子らとの付き合いもあったし、クラスの子との付き合いもあったし。だから、上手に外の子らと付き合ったと思いますね」と教員が語っている。

　そして、在学時の指導の集大成として取り組まれるのが、卒業前に自分の生い立ちと向き合い将来への決意を固めさせる目的で「自分史」を書くことであり、それをクラスの前で読み、級友と共有する取り組みがなされている。

　Z中の実践に関してもう一点記しておかねばならない点は、こうした働きかけを行うための体制を整えていったことである。それは「施設担当」の教員を置く、施設との連携をとるといったレベルにとどまらない。進路保障を実現するために施設との交渉を進めたが事態は動かず、市の教育委員会に働きかけても内部でたらい回しにされたあげく「（担当は）市役所の福祉の関係

だ」と言われてしまう。窓口がないため困惑していたところ、相談した市の教職員組合が「これこそ人権課題だ」と取り上げてくれ、懇談の場をもつことができたという。現在では、施設の子どもが通う幼稚園、小中学校、市教委に児童相談所が参加する懇談会が定期的に開かれている[11]。

5　施設の子どもと学校教育

5-1　排除に抗する学校への転換

　前節で見てきたZ中に類する取り組みを行っている学校は、非常に少ないというのが実態だろう。今回の聞き取り調査と並行して、施設の子どもたちへの支援に取り組んでいる教員から実践を報告してもらうプロジェクトを進めたが、それらは連携の仕組みを整えたり施設での学習会に教員が参加するといった程度にとどまり、組織としての本格的な取り組みとまでは至っていない。そしてZ中においても、取り組みを始める10年前までは、施設の子の「しんどさ」は認識されていても特別な働きかけがあるわけではなく、中３の後半になると子どもたちが「はじけてしまって、学校に来なくなり、施設で遊んでいる」状態が例年続いていたのである。

　施設の子どもたちを排除する学校から、施設の子どもたちを支え排除に抗する学校への転換を可能にした条件、契機はいかなるものだったのだろうか。また、学校教育を通して施設の子どもを支える、支援する際の具体的な取り組みとして何が求められるのだろうか。

　ここまでの論述を踏まえると、学力をつけ、確かな進路を実現することができるよう働きかけることが最重要の取り組みであるが、それだけでは不十分であることも明らかである。周囲からの、あるいは将来予想される差別や偏見を、さらにまた自身の生まれ育ち、親の存在をどう受け止めるか、前向きに生きようとする姿勢をどう培うか、といった重い課題がそこにはある。

　前節で紹介したZ中の実践は、まさにそうした課題に取り組もうとしたケースだということができる。そして、同校の実践は、関西を中心に西日本各地

で取り組まれてきた同和教育が重視してきたポイントを踏襲し継承するものということができる。学力保障と並んで仲間づくり、集団づくりが重視され、当事者の社会的立場の自覚が目指される。一連の実践の総和として進路保障が重視されるとともに、卒業後も追跡指導が取り組まれている。校内の体制をつくり、さらに行政交渉を通して教育実践の基盤を確保してきた点も、同和教育が進めてきた実践のポイントである。

　実は、Z中の実践を主導してきた数人の教員たちは、校区に同和地区がある学校（同和教育推進校）でリーダー格の教員として実践を重ねてきたという経歴の持ち主であったという。Z中に異動し、「施設の子はムラの子（被差別部落の子ども）と同じように、あるいは、誰も守ってやれてないことを見れば、もっとしんどい状況にある」という認識を深めていた時期と先の暴行事件の発覚が重なった。その後、それまで培ってきた同和教育のノウハウを駆使し、施設の子どもたち、そして同僚教員たちに働きかけ、先に見たような体制を築き上げていったのである。

　同和教育の実践が施設の子に対する取り組みにつながっているケースは他にも見られる。たとえば1節で引用した高口らによる調査は、「ここの中学校は同和推進校で職員数が多いんです。担任に副担任が2人ついていてね。進出学習をやってくれています。先生が熱心で、ほとんど毎日来てくれます」という施設側の声を伝え、「同和教育とのからみで学習指導を受けている状況」が調査対象となった施設のうちいくつかあることを指摘している（高口編, 1993：197）。

　「同和教育実践の継承」としてZ中の取り組みがあることをみてきたが[12]、排除に抗する学校に変わる契機は、部落の子どもに限らず、困難な状況に置かれた子どもの存在に気づき、その生活背景を知り、信頼関係を築きながら必要な取り組みを模索していく点に求められるだろう。

5-2　施設・職員と学校・教員の協働のために

　本章の最後に、児童養護施設と学校、職員と教員の間の関係性について検討する。施設の子どもたちを支えるために、両者はどのような関係を築くこ

とが望ましいのだろうか。

　児童虐待を受けた子どもたち、発達障害や不登校を経験した子どもたちが施設に措置されるケースが多くなるなかで、学校としても指導に苦慮することが多くなっているという。施設と学校との間に窓口となる担当者を置いたり定期的に連絡・協議の場を設けたりといった形の連携がなされているケースは、以前よりも増えていることが予想される。

　では、連携がなされていることをもって、子どもを支えるための協働関係が構築されているといえるだろうか。ここでは教員側の姿勢・意識をめぐるいくつかの語りを素材に検討していこう。

　まず、「何もしてこなかった学校・教員」の存在を改めて取り上げなければならない。Z中の実践を主導してきた教員は、取り組み以前の教員の意識を次のように語ってくれた。

> 「学園のことやから、学園の職員がしっかりしたらええやないか。」僕がZ中に来たときはそんな感じですね。学園の子が何かしても、もう職員さんを呼んで叱る。「ちゃんと指導してもらわんと困る」と。全体の空気がそうだった。

進路についても「自分たち教員はあの子たちの親じゃない。あの子たちの人生にどこまで関われるというのか。親代わりの施設長が言うことに従うしかない」といった意識が強く、私立高校への進学を認めない施設側の方針がそのまま受け入れられていたという。

　「親代わり」である施設側にゆだね自分たちの責任を問わない姿勢についての言及だが、1節でふれた「能力の低さ」に原因を求める教員も少なくないのではないだろうか。以下は、施設職員の側から教員の苦労について同情的に語られたものだが、「施設の子どもに高いレベルを望まない」教員の意識についての指摘ともなっている。

> 　小学校の先生なんかは、けっこう苦労してはる、というか、子どもも多

第3章　施設の子どもと学校教育　103

いんで。やから、何ていうか、わかってくれてはる先生も多いですね。この子らに、そこまで宿題させんでもええかっていうのとか。授業に出れへんでも、学校にいてくれたらええかっていうのとか。

両者の連携がなされているとしても、その内実については問題が多いのではないか。そうした予想が導かれる語りがある一方で、特に学校側、教員側が変わること、動くことへの期待を語る声も複数聞かれた。まず、ある児童養護施設でリーダー格の職員の語りを引用しよう。

職員の葛藤みたいなことも含めてね、全同教[13]なんかの場で話すことによって施設の実態を職員自身が明らかにしなくちゃいけないだろうし。そこで働く職員のね、理想と現実というか、壁とか課題とかを伝えることがね、施設養護が社会的養護になっていくための課題提起になると思うんです。それを見てくれると、学校の先生方が、施設の職員さんの大変さとかね、しんどさとか、もう正論、矛盾みたいなことまで考えてくれるようになるんじゃないかって。だって、学校の先生方はほとんど施設のことを知らないんです。それに、学校の先生方は守られてるんですからね。給与や身分保障、労働条件も違っていて、いろんな面で優遇されてるなかで、学校の先生方は施設職員に対しては対等に思ってるんですよ。「してくれて当たり前」みたいな。一方、施設の側は「いつも子どもが面倒をおかけしています」と、ついつい遠慮がちとなってしまいます。昨今の施設内虐待の報道や入所児童の傾向の変化等で、職員側が子どもと向き合うことに萎縮している側面もあります。たとえば、うちの施設の子どもが遅刻したら、「施設は何をしているんだ」と学校側は思い、施設の側は「それなりの理由がある」というなかで、関係性が薄いと相互批判になり、子どもたちにとっては不幸な環境となってしまうことになるんです。

Z中の教員も、施設の子どもたちの利害を代弁するのは教員しかいないと、

施設に対して「労働組合の団体交渉」のように迫ることが多かったと語っていたが、同時に、施設には学校を出て間もない若い職員が多く、長続きしない厳しい職場環境にいる職員は手一杯の状態にあり、自分たち教員が動かないと子どもは守れないとも話してくれた。

別の地域の小学校教員は、やはり自らの経験から次のように語っている。

> 学園とかかわる中で確信したことは、学校側が学園に行かないと何も始まらないということだ。なぜなら、まず学園の方が学校に来るというのは無理だからである。子どもの忘れ物を届けに来る程度のことはできるが、何しろ40人の子どもを13人の職員が24時間交代勤務で見ていかないといけないという条件の中で、定期的に学校を訪れることは不可能である。(部落解放・人権研究所編，2008：145)

学園に通い職員の勤務実態をよく知るこの教員は、「学園の職員の人たちの元気が出るためにはどうしたらいいのか」を課題として考えているとも語っている。

> 「えっ！ なんで２連泊なん!? ３日間家帰ってはらへんやん！」という現実[14]を見る時がある。本当にこれは厳しいだろうなと私自身は思っている。(部落解放・人権研究所編，前掲：145)。

　施設職員がゆとりをもって勤務できる人的配置が実現され、文字どおり対等な立場で学校と施設が協働できることが望ましいのはいうまでもないが、少なくとも現状を前提とすれば、比較的恵まれた立場にある、そしてまた子どもたちの成長に責任を負う点では同じ立場の教員がまず行動に出ることが、事態をよい方向に動かす一歩となるとの認識に筆者も共感するものである。

　以下、連携、協働の内容についてさらに考えていきたい。両者が連携を深めることは、２節で整理した子どもたちの困難を軽減するうえで重要な意味

をもつはずである。学力保障、進路保障の面でもそのメリットは大きなものであるはずだ。

　その場合、子どもたちに関する情報、たとえば生育歴や虐待経験、親の状況等が施設から学校に伝えられることが必要となるが、近年「個人情報保護」がハードルとなり、子どもについて知りたい情報が学校に伝わらなくなっているという声が聞かれた。以前は伝えられた情報が、今では何か問題が起こった際に、それに関連する限りでしか教えられなくなり、学校としては指導に苦慮しているという[15]。

　難しい問題ではあるが、学校も子どもの育ちに責任を共有する機関であるとの認識に立ち、扱いに関するガイドラインを設けるなどの手立てをとったうえでの情報の共有は可能ではないだろうか。

　情報の扱い以上に、学校と施設の間で抜き差しならない関係が生じるのは、子どもたちの「問題行動」をめぐってであろう。学校、教員の側には「手のかかる子どもが校区外から集まってくる」と、施設の存在を「迷惑視」する見方が持たれているケースもあるだろうし、近年さらにそうした傾向が強まっているのではないだろうか。今回の対象者の多くが、以前と比べて施設内のルールがゆるくなっていることを指摘しているからである。

　　　昔はもっと厳しかったですからね。暴力ありの時代からきてるから。学
　　　校行きたくないなんて子はなかったですね。ご飯食べへんなんて子も。
　　　……【ご飯を食べないというのはあるんですか？】ありますよ。食べな
　　　いですよ。テレビ観てますね、ゲームしたり。（Ｆさん／29歳／男性）

　これは、現在施設職員として働いているＦさんの目から見た施設の現状であるが、その「ゆるさ」が学校に持ち込まれると、問題行動としてクローズアップされることにつながるものだろう。

　さらに、同じＦさんは、学校と施設、教育と福祉のスタンス、子どもへの関わり方においてそもそも違いがあるとも語っている。

基本的に、立場が違いますよね。観点が違いますよね。教育と福祉では。上から引っ張り上げんのと、下から一緒に上げるのと。向こうは、もう上から引っ張り上げはるから、ついて来ぉへんかったら終わりなんですよ。こっちは、下から一緒に行くんで、そこで、いつも学校とは食い違う。（Ｆさん／29歳／男性）

現実に生起している「問題行動」は、施設と学校それぞれの「人手不足による手薄なケア」と「校則やルールの押しつけ」の結果生じているケースが少なくないとも予想されるが、双方があるべきケアと指導を模索し実践するなかで、子どもが起こしてしまった事象をめぐって抜き差しならない対立が生じていることも考えられる。

大舎制のもと、子どもたちの「集団力学」によって、あるいは規範・ルールを守らせることによって維持されてきた秩序が、小舎制、家族的ケアへの移行や「子どもの権利」の浸透によりどう変化していくのか、その変化に、学校はどう向き合うべきなのか。容易に正解にたどり着けない問いなのだろう。「傍観者」と非難されることを覚悟しつつ私見を述べれば、こうした対立が生まれることそのものは望ましい事態であり、両者の対話と子どもへの働きかけが継続されることこそが求められるのではないだろうか。あるべきケアと生徒指導のあり方について答えが見出せないとしても、守り育てようとする大人の存在を確かに感じながら、子どもたちは育っていくことだろう。

おわりに──校区に施設のない学校の課題として

本章では、家庭生活で大きな困難を経験した子どもたちが施設に措置されて以降も、教育達成における不利な条件は引き継がれ、学校教育においても十分な支援を得られないままの状態に置かれていること、さらに、施設への偏見を意識せざるを得ない状況にあることを描いてきた。「低い学力」が放置され、「学校における排除」とも呼ぶべき事態が続いてきたことが確認さ

れたと同時に、学校全体で施設の子どもを支え、学力・進路保障に向けた実践がなされている実例も紹介した。私たちが知り得た範囲では、施設の子どもを学校で支える意図的な取り組みは「同和教育の継承」として実践されているものであった。それは、「部落の子どもの置かれた状況」に向き合い、「差別の現実から学ぶ」教員たちの姿勢のなかから形づくられた教育の作法が、施設の子どもたちに対して向けられたものということができる。

　終章で改めてふれることになるが、近年の大きな社会の変化のなかで、従来から存在した貧富の格差が拡大し、貧困層・生活不安定層の置かれた状況の厳しさがさらに増している。安定した大人の生活を実現できないばかりか、働く場所、住む場所さえ確保することが困難になりつつあるなかで、子どもたちを無力なままに社会に放り出すことはもはや許されない。施設の子どもたちに対して学校として取り組むべきことが、改めて課題として認識される必要がある。

　それでは、こうした課題は施設が校区にある学校だけに問われるものなのだろうか。措置される以前の子どもたちの学校生活を想起してみよう。1節でみたとおり、家庭に困難を抱え、学習面、生活面でつまずきがちな子どもたちに対して、学校からの働きかけ、支援はほとんどみられなかった。「学校における排除」は、施設で生活する子どもたちに対してだけではなく、家庭生活に不利、不安定な要因を抱える子どもたちすべてが経験している事態だというべきではないだろうか。そして、困難を抱える子どもたちのうち、施設に措置されるのはほんのわずかな部分でしかないという現実がある[16]。施設に措置された子どもたちについては衣食住が提供され、不十分とはいえ学習と将来に向けた働きかけがなされているのに対して、それ以外の子どもたちは、「学習以前の状態」に置かれ、将来を考える余裕がないどころか、日々を不安と恐れのなかで生活する子どもも少なくないはずである。学校は、困難な状況に置かれた子どもたちにとって必要不可欠な働きかけを怠り、低学力のままに放置し、無力なままに社会にはじき出してきた。そうした子どもたちが相当数にのぼるという現状を、改めて認識する必要があるだろう。

　児童養護施設で生活する子どもたちの姿は、家庭に困難を抱え家族を頼る

ことができない子どもたちに対して学校教育がいかなる存在であったのかを顕在化、可視化するものであり、同時に、同和教育の歴史においてそうだったように、学校、教員の姿を反省的に捉え、教育実践をつくりかえる契機ともなり得るといえるだろう[17]。

　児童養護施設の存在、そこで生活する子どもたちの現実が広く社会に伝えられ、教員たちにも知られることがまず求められる。そして、教員たちに問われるべきことは、生活に不安を抱え親を頼ることのできない、目の前にいるはずのそうした子どもたちの存在に改めて向き合い、必要な働きかけを始めることである[18]。

注

（1）施設で生活する子どもたちの手記を集めた『泣くものか』（養護施設協議会、1977）には、親元での不安定な生活のなかで「学校に通わなかった」時期がある子どもの経験もしばしば記されている。転校だけでなく、不登校・長期欠席の問題も学業達成にとって重大な問題であることはいうまでもない。
（2）同書には、「高校進学の阻害要因として養護施設長や職員がしばしばあげている本人の能力・学力の問題」との記述もある（高橋、1983：150）。
（3）高口らによる研究でも、「（IQ得点は）やや低い方向に偏りがみられるものの、全体としてはほぼ正規分布になっており、IQ90以上の児童が約3分の2を占めている。これらの事実の示すところは、彼らの示す低学力には彼らの置かれた学習環境の剥奪（デプリベーション）の影響が強く現れている」ことであり、低学力が「つくられた」ものであると述べている（高口編、1993：117-118）。
（4）筆者は、生来の能力差の存在を否定したり特別支援学級への入級をあってはならないものと考えているわけではない。そうした措置が望ましい子どももいるはずである。本論は、施設の子どもたちの学力の低さについて、環境、条件の不備によってもたらされた面が大きいにもかかわらずその点が軽視され、「能力の低さ」が原因とされる傾向を確認することを目指したものである。
（5）「子ども達は中学校、高校と段階が上がっていくにつれ、施設で生活していることを隠しがちになる」と、小学校で教えた施設の子とその後も連絡をとり続けている教員が報告している。高校で「友達になって遊びに行こうとなった時に、施設に遊びに来られることを考え込んでしまう」、施設に電話をもらうと職員が応対して「自分につないでもらうことに色々想像をめぐらせてしまう」という経験もあるという（部落解放・人権研究所編、2008：150）。なお、周囲から向けられる偏見やまなざしに対して「隠

す」ことを強いられる状況は、当事者たちの手記に多数記されている（『子どもが語る施設の暮らし』編集委員会編，1999；2003）。
（６）「ひとつの事件を覚えてますねん。中学３年のときやったかな。一緒に学校行くんですよ。学校行ったらね、おらへん。行ってんのは、（高校に進学する予定の）僕ともうひとりだけなんですよ。あの当時、僕らは脱走って呼んでましたけどね。３年のね、11月くらい。今から思うと溝ができてましたな。就職する人間と俺らみたいに」。これは、今回の若者対象の調査に併せて話をうかがった55歳の施設経験者の男性の語りの一部である。以前と比べて高校進学率が上昇したとはいえ、同じような状況が今日も続いているのである。
（７）「学校の中でも施設の子どもたちだけでの輪ができているそうだ。学年の枠を超えて、施設の子らのつながりがあり、他の子どもたちとの関係性が薄い」と、学習ボランティアとして関わっている施設の子が通う小学校の様子を報告する教員がいる（部落解放・人権研究所編，2008：148）。
（８）注７で紹介した小学校教員は、同じボランティアで関わっている子どもから「学校の先生たちが自分たちのことを一括りに見て、個人として見てくれない（略）『施設の人たち、ちょっとおいで』と言われたりするなど、個人の名前で呼ばれなくて『施設』という一括りで見られていることがとても不満だ」という子どもたちの声を耳にした。この教員は、子どもたちの差別的な発言も、教員の一括りにする姿勢が反映している面があるかもしれないと当該校に問題提起しているという（部落解放・人権研究所編，2008：148，153）。なお、「差別する存在」としての教員については西田（1996）を参照されたい。
（９）教職員の数は児童生徒数から算出される学級数で決まる。「特殊学級」の入級者がある数に達すればクラス増となり余分に教員が配置されることから、また、教員減を避けるために「員数合わせ」が画策されたということである。なお、1980年代後半に行われた高口らの調査でも同様の傾向が見られ、「我々の施設に対するアンケート調査の中でも、『学校の特殊学級定員の確保に施設の児童が使われている』とする回答が見受けられた」とも記されている（高口編，1993：118）。
（10）「中学に上がるともっとひどい暴力が待っている」と不安にさいなまれていたＭさんは、中学で「予想外、青天の霹靂。『この先輩がこんなやさしくなってる』みたいな」と語っている。彼が中学に進んだのは、暴力事件が明らかになり指導された後だったためである。
（11）現在のＺ中の校内体制と施設との関連を列記すると、各学年に施設担当教員が置かれ週１回の打ち合わせが行われる、施設での週２回の学習会への教員の参加はボランティアで数もまちまちだが、施設担当の３名は行くようにしている、年間３回の施設との懇談会で生育歴や支援計画、自宅で過ごした休暇中の様子などが伝えられるなどであり、職員研修でも施設の取り組みについて話を聞く機会を年１回は設けている。また、進路指導に関しては、子ども本人の希望を大事にするというねらいで他の生徒より前倒しで進められている。なお、追跡指導などの費用は行政交渉の成果として手当てされることになっている。

(12) 先に引用した埼玉県の中学校は、教員たちが施設の子どもの現実を知り、私立高校への進学が可能になるよう県に働きかけ、近辺の高校にも理解を求めて何度も訪れている。夜間の学習指導にあたるなどの支援だけでなく、「養護施設の正しい理解、園児にたいする差別の解消、園児自身のしっかりした自覚の育成などを目標に」、園児の作文を教材とした授業を実施し、生徒だけでなく保護者からも大きな反響が寄せられたという。こうした取り組みはＺ中に比すべきものといえるだろう。ところで、埼玉県のこの学校も校区に同和地区があり、地区外との高校進学率に８％ほどの格差が明らかになった際、大きな問題となったという。地区の子ども達に夜間の補習がなされ、校長や担任が進学に向けて説得もなされたと報告されている。その同じ時期、同じ学校で、「養護施設児童の場合（その中には、もちろん同和地区出身の生徒も含まれていたが）には、70％もの格差がありながら、『能力がないのだから』『本人が希望しないのだから』で、ほとんど問題にもならなかった」だけでなく、紹介したように"児童狩り"とも呼ぶべき実態があったのである（北沢, 1983：71, 88）。「同和教育の継承」というとき、「部落の子どもだけ」を対象として他の困難な条件にある子どもたちを放置してきた例があることを忘れてはならない。

(13) 年に一度開催される、人権教育・同和教育を進める教職員の全国規模の研究集会（全国同和教育研究協議会（現、全国人権教育研究協議会）大会）を指している。

(14) 職員配置が手薄なため、夜勤の連続で帰宅できない職員の姿に接したこの教員は、「今の職員の配置の制度的問題も何とかしなければと思う」と記している（部落解放・人権研究所編, 2008：145）。

(15) 「詳しい話は、正直言って私たちのところには届かなくなったんです。こちらの要望としてはね、学校にも守秘義務がありますので、我々も外の人に喋るわけではないんで、そこら辺の背景を教えてもらったら、言葉かけ一つとっても、ずいぶんその子とコミュニケーションとれるような言葉かけができるんだけど、それがないので非常に苦しいです」（盛満・西田, 2008：96）。

(16) 福祉事務所で児童問題担当のワーカーとして長年勤務した山野則子（大阪府立大学教授）は、筆者への個人的な教示のなかで「困難を抱えた子どものうち施設に措置されるのは１割程度ではないか。また、措置された子どもの方がその後の生活状況は好転しており、それ以外の子どもの状況はおしなべて厳しいものだ」と語っている。

(17) 同和教育の歴史と実践については、中野陸夫他（2000）が好適なテキストである。

(18) その際考慮されるべき点として、学校における「特別扱い」の問題にふれておきたい。小学校で施設の子どもを担任する教員全員が年に一度施設を訪れる機会で「（集団としての）学園の子らと一般家庭の子らの間にはほとんど何の違いもないとの意見を学校側は表明していた。（略）教師たちがまとまって主張していたのは、学業成績は単純に個人差の結果であり、施設の子であるかないかということは関係ないということであった」と、フィールドワークの対象とした施設での経験をグッドマンは伝えている（Goodman, 2000=2006：238）。

この施設は子どものケアについてたいへん高い評価を得ているということだが、子どもたちが抱える不利な条件に大きな違いがあるわけではなく、学校生活においても

困難な状況に置かれていることが予想される。先の教員の姿勢は、学校の中で社会的差異を見ようとしない日本の学校・教員に特有の文化の表れというべきではないだろうか。

　社会的差異とそれにともなう不利な条件に目を向け、適切な対応がなされることが不可欠である。しかし、配慮を欠いた「特別扱い」が子どもたちをさらに追い詰める危険性があることも十分予想される。

　　　家はどうしようもなく貧しく、食べる物にも困ることがありました。ものが満足に食べられなくても、ないものはないのだから仕方がないと思うしかありませんでした。／その頃の担任の先生にそれを知られて、目の前にパンを差し出されたことがありました。先生にとっては同情のつもりだったのでしょう。「こんな小さな子どもが満足にものも食べられないなんて」と。でも、私にとってどれだけその行為が惨めだったか、その時の先生は気付きもしなかったでしょう。恥ずかしい気持ちでいっぱいでしたが、耐えるしかありませんでした（『子どもが語る施設の暮らし』編集委員会編，1999：173）。

　この例のような教員個人の行為だけでなく、さまざまな給付や免除などについても、対象となる子どもにとって恥ずかしい経験として受け止められ、差別・いじめの契機となることもあるだろう。

　学習面でも生活面においても、不利な条件に置かれた子どもたちへの「特別扱い」がなされなければならない。その際、施設についても、施設外の子どもたちに対しても同様に、学校・教員が子どもたち、親たちの生活背景や施設での生活について深く学び、信頼関係を結びながら取り組みがなされることが求められる。

第2部　第4章

高学歴達成を可能にした条件
大学等進学者の語りから

長瀬正子

　高学歴の達成は、安定した職業生活を営み現代社会を生き抜くための糧となる。さらに、児童養護施設で生活する子どもにとっては、十分な養育環境を与えられなかった親世代の負の遺産を断ち切る可能性につながる。しかしながら、一般家庭における子どもの半数以上が大学等進学を遂げる現在において、施設で生活する子どもの進学率は1割前後にとどまる。本調査対象者は、そうした施設の実態において「エリート」とみなされる高学歴達成者であるという特徴をもつ。

　では、なぜ、本調査対象者は、大学あるいは専門学校へと進学することができ、高学歴達成者となり得たのだろうか。本章は、彼/彼女らが、「大学進学」という進路を企図した経緯、経済的困難が予想されるなかで卒業に至った背景を描き出すものである。

　明確に「大学進学」を企図していた対象者は少なく、「たまたま」「偶然」の機会と出会いによって進学を企図し、人並み以上の頑張りを強いられていた。「大学進学」の決断の妨げともなる卒業に至るまでの経済的な困難は、人的ネットワークの支えによって「幸運」にも得ることができた資源を最大限駆使して乗り越え、高学歴達成を成し遂げていたのである。これらの結果は、施設経験者の大学等進学率が低くとどまり続ける背景の一端を示し、教育費用の負担が家族に課せられるという日本社会のありようの弊害を施設経験者が一身に引き受けざるを得ない現実を示すものである。

はじめに

　本調査で出会った対象者の多くは、施設経験者全体のおおよそ1割にあたる高学歴達成者である。施設現場にとってみれば、彼／彼女らは、「エリート」、あるいは退所後に「心配する必要もない子」とみなされることが多い。大阪市における調査においても、進学を希望する児童福祉施設の高校生は全体の30％を超える程度である[1]。施設で生活する子どもにとっては、高等教育達成は身近なものではないといえるだろう。それでは、なぜ、本調査対象者たちは、大学等に進学することができたのであろうか。施設で生活する他の子どもと比して、大きな差が生じるほどに特別な能力のある子どもであり、尋常でない努力を行ったのだろうか。

　結論を先取りすると、本調査対象者はそんな特別な子どもではない。最初から進学を明確に企図していた人は数名であり、「偶然」の機会およびきっかけによって進学を企図し、本調査対象者となった所以でもある人的ネットワークの支え[2]によって、可能な限り得られた資源を駆使しながら高学歴達成を成し遂げた人たちなのである。

　本章は、大学等進学者に焦点をあて、施設において彼／彼女らがどのような経緯で進学を企図し、また達成に至ったのかを施設経験者の語りから描き出すことを目的とする。高学歴達成は、現代日本を生き抜くための糧となる。その点においては、本調査対象者は、家庭における困難な養育環境を離れて社会的養護を活用することで親世代の負の遺産を断ち切る可能性を持てた人たちであるといえる。進学の企図、高学歴達成に至る過程を描き出すことによって、家族資源に依存することが困難である社会的養護で育つ子どもや若者が必要とする資源を明らかにするとともに、社会的養護のシステムにおいて子ども・若者の支援に携わる人、システムの外にいる人が何をなすことができるのかという点について示唆を得ることができるだろう。

1 進学の企図から卒業までの過程──3名の大学等進学者から

　本調査対象者のうち、大学等に進学した人は8名であった。そのうち、4年制大学進学者が3名、短大進学者が1名、専門学校進学者が4名であり、専攻は保育関係が4名、看護関係が2名、社会福祉関係が2名であった。次節の「進学を企図した要因」で述べるように大学等への進学を企図する要因は、ひとつではなく、複数の要因が重なって進学に至っている。以下では、8名の大学等進学者のうち、4年制大学社会福祉学科に進学したCさん、専門学校看護関係に進学したDさん、Mさんの進学を企図した要因と卒業までのプロセスをみていこう。

1-1　Cさん（22歳／女性／四大（社会福祉学科）卒）

　Cさんは、大学進学を全く想定しておらず、「決められたルートで」「高校出たら絶対に」働かないといけないと考えていた。そんなとき、Cさんは、たまたま参加した行事において、県内の他の施設で生活しながら進学した人と出会うことになる。Cさんにとって他の施設における進学者の存在は、「働くしかないんや」という以外の選択肢を示し、施設で生活していても大学に進学できるという可能性に気づかせる大きなきっかけとなった。

　【大学には行こうと思ってたんですか。】高校も商業で、私のなかで決められたルートで「施設を出たら絶対働かなアカンねや」っていうのがあったんです。進学とかそういうのはもうないと。「働くしかないんや」みたいな。高校2年生のときに偶然他の施設生活の子どもたちが集まるイベントに行けて、そんときに会ったメンバーがみんな進学してたんです。それで、「施設おっても進学できんの？」みたいなことで。それやったら、進学したいなぁって。【ということは、Cさんが行ってた施設の先輩たちはみんな就職してた？】たぶん、家に帰って引き取られて、専門学校に行く人とかいたんですけど、直接大学に行くとかってのはいな

かったです。……

　また、Cさんは、小さい頃から同じ施設で生活し、途中で退所してしまった子どもの厳しい状況を目の当たりにしたなかで「もうちょっと助けとか支援とかがあれば、転がり落ちなかったんちゃうか」という思いを持ち続けていた。Cさんのそうした思いは、施設における心理職員という一つの具体的な職業像に出会うことで、自らの思いを実現する方向性を見出していくこととなった。

　施設の同い年の子で、2歳くらいの頃から一緒に生活してた男の子がいるんですけど。高校まで行ってその男の子は中退して。それから、転がり落ちてしまった人なんですけど。もうちょっと彼に何か助けとか支援とかあったら、転がり落ちることなかったんちゃうんかなって思ってたんです。ずーっと。高校んときとかね。……私が高校生くらいのときに各施設で条件はあったけど、心理の職員が置かれ始めたときなんです。……「こういうの（心理職員）があったら、そういうしんどい思いした子どもたちの助けになるんちゃうかな」って思ったんです。

　これまで述べたような経緯で進学を志すようになったが、実際に進学に至るのには多くの困難があった。Cさんは、生活する施設の初めての進学者であった。当時、Cさんの決断を支持し応援してくれた人はおらず、むしろ否定されたという。経済的な負担を軽減するための具体的な支援の目処が立たないなか、偶然、施設長が新しい人へと替わり、施設の子ども対象の奨学金[3]の情報を伝えてくれた。Cさんにとれば、「すごく運がいい」ことであり、「魂を込めて」奨学金を得るために作文を書き、無事取得した。この奨学金は、彼女にとって、進学を可能にする最終的な後押しとなっただけでなく、進学後の生活を見通すためにも大きく貢献することとなった。

　そうですね。私（大学に）行ってみよう思ったんですけど、大変で。す

ごい施設の職員が否定的っていうか。「そんなん行ってお金かかるやろ」「お金どうすんねん」とか。何か全然賛成してくれなくて。でも、「行きたいねん」みたいな。ちょうど私が高校のときに新しい施設長になったんです。その施設長の先生がね、いろいろ持って来てくれたんです。奨学金があるとか。【もし、その施設長が前の人やったら…】まあ、情報は入ってこなかったですね。【もしかしたら高校出てそのまま働いてたかもしれない。】はい。【それは、すごいタイミングやな。】運がいいとすごい言われます。常に運がいいと言われます。

　進学後、Cさんは、生活のためにアルバイトを複数かけもちすることになり、職員からの経済的な支援も得ることができていた。

　（大学）1年のときはスーパーだけだったんですけど、2年のときから朝コンビニにして、学校行って夜スーパーしてました。……【毎日ですか？】スーパーは週5。コンビニは週によって違いますね。朝だけです。一番忙しいときだけ。【で、何とかやっていける感じ。】ラッキーなことに、何のお金かわかんないんですけど、単発でいろいろ施設の子のためのお金が入ったりしてたんですよ。いろんなとこから、先生ひっぱってきてくれて。【その新しくやってきた施設長の人が？】いろいろ工面してくれた。

　さらに、Cさん自身は、退所して初めてその存在を知ることとなったのだが、親の遺族年金が残されており、経済的な支えとなったのである。

　【奨学金ってどれくらいもらえるんですか。】年間50万。【（進学した大学は）私立でしょ？】残り50万は、親亡くなったんで、遺族年金があったんですよ。……【施設で生活している間累積して貯まった分が、自分の手元に何か知らんけどあったと。】あったと。やったね。だから私、大学行けたんは奨学金もあるし、やっぱり親の遺族年金もないと行けな

かったですね。

1-2　Dさん（22歳／女性／専門学校（看護科）卒）

　Dさんは、記憶も残っていない小さな頃から「看護師になりたい」という夢を持っていたという。高校2年生からは、施設で働きたい、だから福祉の方に進学したいという意思も持っていたが、当初の夢を父親に後押しされたこともあり、看護師になるために専門学校に進学した。

　【看護師になりたいなぁと思ったきっかけとか、何で今の仕事を選んだとかありますか？】自分でも全然記憶に残ってないんですが、幼稚園のときに自分が「看護師になりたい」って言ってたみたいで、自分もそのまま小学・中学・高校って来てしまって、まわりに言いふらして、まわりは（Dは将来）看護師さんやってイメージで。いざ本当に考えたときに○○ちゃん（同じ施設の先輩）も「福祉（関係に）行く」って言ってて、「自分も福祉やってみたい」と。そんとき、お父さんも同席しとって、お父さんも「何でそんなん言うんや、ずっと看護師言うとったやないか」ってちょっと悲しそうな感じやったし、そこまでやったら看護師も人のお世話するんやしイヤでもなかったから、「専門学校受けてみるわ」っていう感じで。

　前述のCさんが、他の施設の進学した先輩に影響を受けたように、Dさんは同じ施設で生活していた先輩の進学に大きな影響を受ける。「施設（の子）な、就職する子が多くて」という言葉に示されるように、「就職する」という将来のイメージが強く持たれているなかで、身近な先輩が進学したことの影響は大きかったと考えられる。

　【施設の先輩とかで看護師がいたってことはない？】聞いたことない。初めてって言われたで。それ聞いて、「じゃあ、行ったろかな」ってのも思ったかな。……何か○○ちゃん（1つ年上の同じ施設で進学した先輩）

くらいからかな？　進学する子があんまいなくて、施設（の子）な、就職する子が多くて。そんなんも考えて、「じゃ、就職じゃなくて進学しよ」みたいなのもあったかもしらん。

　進学が決まって以降、Ｄさんは特に施設を出た後のことを考えておらず、奨学金等の手続きも一切していなかった。後になって、Ｄさんの退所後の進学と生活を支えるために施設職員が走り回ったことを聞く。

　何も考えてへんかったから、施設出ることとか、出た後のこととかも全然考えてなかって。紹介とかも学校とか来るやん、日本育英会とか借りるんやったら。（自分は）全然どれも手つけてなくて。それで、施設の先生全然気づかんかったみたいで、「全然取ってないよ」って言ったら、「はぁ!?」みたいな感じで。あたしは知らんねんけど、（施設の先生から）「お前のことですっごい走り回ってんぞ」みたいなことは後で言われた。……【時期的には何月くらいやったん？】２月の【結構直前？】すっごい直前やった。ぎりぎりやった。

　最終的に、高校に奨学生を募集しに来ていた病院の紹介により、病院が設置する専門学校に進学が決まり、病院が提供する住居、奨学金を利用することができた。本人にとっては、偶然見つかったという印象が強く、「たまたま」という言葉が繰り返し使用される。

　【最終的に、奨学金の話持ってきてくれたの、学校やってんね？】そうです。【学校の先生がいろいろ…】今あたしが働いてる所の婦長さんが、奨学生をかき集めてんのに誰も集まらんかったらしくて、わざわざ出向いて、「来てくれ」って感じやって。たまたま「これ、Ｄさんにいい話ちゃうんか」って感じで。偶然ひっかかったって感じ。学校の先生が無理やり探したってわけじゃなくて、たまたま、全部たまたま。……【奨学金は、何をもらった？　学費とか？】私は現金で４万円。寮があったんで

すよ。そこの寮費とか、光熱費とか全部支援してもらいました。

1-3　Fさん（29歳／男性／四大（社会福祉学科）卒）

　Fさんは、中学生の頃から大学進学を意識していた。小学生くらいのころから、退所する18歳という年齢は、Fさんだけでなく他の子どもたちにも意識されていたようだが、大学進学することのメリットをFさんは理解していた。

　【「高校を卒業したら」っていうのはいつくらいから意識したりとか、してました？】それは、小学校ぐらいから。たぶん今の子もそやと思うんですよね。常にそれは思ってると思うんですね。「18になったら」みたいなのは。【それはどんな風にイメージしてました？】とりあえず大学も行こかなって。それも中学ぐらいから。【「大学にも行こかな」って思ったきっかけっていうのは？】将来生きていくのに学歴があった方が役立つかな、と。やりたい仕事を自分で選べるというか。【施設の先輩とかで、大学に進学した人とかも、その当時おられました？】施設出て家から行ったとかっていう人はいますけど、施設にいながらは、専門学校はいますけど、大学は僕だけですね。

　Fさんが「学歴があった方が役立つかな」という気持ちを持つに至ったのは、生活していた施設の担当職員から「大学進学をするとメリットがある」というメッセージを受け取ったからであった。「仕事を選びたい」と思ったFさんは、きょうだいが中学を卒業して働いているなか、その施設で初めての大学進学者となる。

　【お兄さんはどうされてるんですか。上のお兄さんは高校は？】行ってないですね。【中学出て働いて？】一番上もそうですね、中学出て働いて。【何でしょうね、大学まで行こうと思ったっていうのは？】とりあえず、「仕事を選びたい」みたいな。小学校ぐらいのときに、中卒やったらこん

な仕事、高卒やったらこんな仕事、みたいなんを聞いたんすよ、○○（担当の施設職員の名前）から。小学校ぐらいのときに。「こんな仕事できるんやで。成績もよかったらこんな高校選べんねやで」とか。低かったら「ここしかないと言われるで」とか。【それは、Ｆさんだけですか？】いやいや、その学年の子らに。日常会話で。「選べるように上行こうか」っていうのがきっかけですね。

　進学後も、Ｆさんは措置延長で20歳まで施設に在籍することができた。そして、20歳を過ぎた後も、就業して１年目まで自立支援と地域交流を行う建物を住居として生活することができた。

　　隣の○○（建物の名称）ってあるじゃないですか。【それはどういう場所なんですか？】地域の交流と実習生が泊まるのと、自立する子のしばらくいる場所。そこに（大学）１回生の終わりぐらいに移ったんですよ。【そこには、いつまで暮らしてたんですか。】大学卒業して……△△（職場の名前）で働いて、１年目の途中ぐらいまで。【○○で暮らしてるときって、ご飯とかってどうしてはったんですか、その場合。】こっちに食べに来ることもあれば、バイト先で食べたり、友達と食べたり。【この○○のなかで作ることもできたんですか。】できますよ。ほとんど作らなかったですけどね。

　加えて、Ｆさんは、施設が独自に設けていた返済の義務はあるが返済期限はないという基金を利用することができた。この基金の存在が、大学に「行こう」という気持ちを大きく支え、進学後も、経済的な負担を大きく軽減した。

　　【大学へ行くとなったら、お金とかの不安はなかったんですか？】とりあえず、「施設から借りて」って感じでしたね。特に、「借りれんねんやったら、行こう」みたいな。【「借りれる」っていうのは、奨学金とかそう

いう仕組みがあるんですか？】そうですね、○○基金っていうのがあって。講演会で集めたお金なんかを進学に使ったりとか、部活の用具買うのに使ったりとかっていう。

2　進学を企図した要因

　ここまで、大学等に進学した3名の進学の企図と卒業までの過程をみてきた。本人の意思だけでなく、「たまたま」や「偶然」によってもたらされた同じ境遇の先輩および施設職員の影響が、重なり合って進学を企図するに至っているのだ。

2-1　幼い頃からの夢
　前掲のDさんは幼い頃からの看護師になりたいという夢が、将来を考えていくときの基盤となったようである。Dさんの他にGさんも幼い頃旅行に行った思い出からホテル関係の仕事に就きたいという思いを持ち、そのためには進学が必要であると認識していた。

　　ホテル関係の仕事がしたかったから大学行こうと思って。進学しようと思った。ほんなら「推薦ある」って。「ほな頑張らな」みたいな。【ホテル関係の仕事っていうのを意識したのは何で？】旅行にちょこちょこっと連れてってもらってて、ホテル関係にあこがれてて。かっこいいなぁと思って。したいなぁと思ってて。でも、やっぱり難しそうやなぁと思ってて。（Gさん／21歳／女性／専門学校（保育科）卒）

2-2　施設で育ってきたというルーツ
　前掲のCさんが、心理職員という仕事に心を惹かれ「これちゃうか」と感じたのは、自身が育った施設で感じてきた思いをふりかえったときに、新しく導入された心理職員が施設の子どもたちの助けになるものではないかと考

えたからであった。施設で育ってきたというルーツから、Dさんも同じく「施設で働きたい」と意識していた。こうした思いは、本調査対象者において共通した特徴でもある。施設職員を職業として志すのは、5章で指摘される施設で生活する子どもたちが出会う職業モデルの限定性に加えて、子ども時代に過ごした施設という場所において感じた気持ちや思いに根差している。こうした思いをBさんは、「自分ら出身やから、もっとわかってあげられる」と表現する。

> わかってない人もいるじゃないですか、先生でも。「私らの気持ち、わかってんのか？」という人も。やっぱり、その時代。今となってはそうでもないんかな、と思えるようにはなったけど、その頃ってありがたみがわかれへんかったりしたから。「こんな人にはなりたくない」とか、「自分ら出身やから、もっとわかってあげられるんじゃないか」とかで養護施設の方をと思ったんですけど。（Bさん／26歳／女性／短大（保育科）卒）

Jさんは、定時制高校で出会った同和教育の取り組みのなかで、それまでの自分の生き方を捉え直し、学校卒業後も自分が大切にしたい生き方である「差別から逃げない自分」を貫くため児童養護施設という場所にもう一度向き合うことにする。Jさんにとって「施設で生活していた」ことは、重要なアイデンティティであった。

> 世の中出たとき、俺はそのまま（差別から逃げない位置に）座らなくなるだろうなって。トビやってたら絶対座らねぇなって思うようになって。それまで先生たちに偉そうなこと言ってたのが、実際は俺も一緒じゃねぇかと。……「差別から逃げない自分って何だろうな」っていうことを考えていくなかで、「自分のなかで差別を忘れない人間になりたい」って思うのがあったんですよね。……「差別を忘れない場所はどこなんだろうな」って考えてきてて、児童養護施設が見えてきたんですね。（Jさん／31歳／男性／専門学校（保育科）卒）

2-3　大学進学に対する肯定的メッセージ

　前掲のFさんの例からわかるように、大学に進学することが自分の人生の選択肢を広げるメリットがあるというメッセージを早い段階で受け取っていることも、対象者の進路選択に影響を与えていた。Fさんは、信頼していた施設職員からそのようなメッセージを受け進学を意識していたが、他にも同世代の厳しい労働状況を目の当たりにすることで、進学をすればもう少し違った生活ができるかもしれないという思いを抱いたという対象者もいた。

2-4　信頼できる他者との出会い

　Lさんは、中学校時に家庭に引き取られ、家庭から四大へと進学している。Lさんの小さい頃の夢は、幼くして施設に入所していたときに信頼できる職員と出会えたことから、職員になることだった。それを周囲の人にも伝えていたことから、目指す職業に就くためには大学に進学することが必要であると周囲の人から認識されていた。

　　小さいときの夢が保育士やって、「施設の先生になりたい」ってずっと幼稚園のときから思ってて、○○先生（施設で出会った信頼できる職員）のおかげでそう思えてんけど。それを私もまわりに言ってたわけよね。施設の子にも言っとったし、家帰っても言っとって、「将来何かになりたいのか」って聞かれたときに、「保育士、先生になりたい」って言ったら、「大学とかに行かないとアカンな」って言われた。（Lさん／23歳／女性／四大（保育系）卒）

　家庭あるいは施設での生活において「このような人になってみたい」という信頼できる他者との出会いは、調査対象者の進路選択や職業モデルに影響を与えていた。信頼できる他者としては、施設職員、他の施設の進学者、同じ施設の進学した身近な先輩である。信頼できる他者との出会いは、具体的な職業像との出会いや、施設で生活していても進学ができるというイメージにもつながっていた。

2-5　具体的な職業像との出会い

　信頼できる他者との出会いのうち、特に信頼できる施設職員は、調査対象者にとって非常に大きな影響を与える存在であった。対象者のうち、現職の児童養護施設職員が2名含まれ、ほかのBさん、Dさん、Gさん、Lさんにとっても、施設の職員・保育士になることは強く意識されていた。

　中学3年で施設に入所したGさんは、職員との出会いにより、ホテル関係の仕事に就きたいという当初の希望を変更し、保育士の資格を取得するために専門学校に進学することとなった。

　　施設の先生らと関わっていくうちに、こういう仕事もあるんやみたいな。高2の終わり……高2ぐらいからかな、保育士になろうって思ったんは。【それは、施設の先生らを見てて？　先生らの職業が保育士だったから。】そう。施設の職員になりたくて、保育士頑張ろうと思って。いろいろ先生とか、学校の先生とか施設の先生に聞いて。学校どこある？とか、いろいろ聞いたりとかして。（Gさん／21歳／女性／専門学校（保育科）卒）

2-6　施設で生活していても進学ができるというイメージ

　前掲のCさんは、「決められたルートで」絶対に就職しなければいけないと思っていたが、自分と「同じ境遇」である他施設の先輩が進学していたことに大きな影響を受ける。Dさんも、同じ施設の先輩が進学していたことに影響を受けていた。

　施設で生活する子どもの進学率の低さを踏まえると、進学する先輩の存在は身近なものではないだろう。そもそも、大学進学という選択肢があること自体を子ども自身がイメージできないことが想定される。施設での生活を経験した大学進学者の存在は、「同じ境遇」であるがゆえにより強力に機能するものと思われる。

3　卒業までを支えた社会資源と人的ネットワーク

　進学を企図し、実際にその進路が現実的になったとしても、卒業までの道程は容易ではない。なぜなら、施設を退所後、ほとんどの退所者は自ら住居費と生活費を確保しなければならないからである。まして進学した場合、確固たる収入がないうえに生活費、学費も必要となる。前掲のCさん、Dさん、Fさんにおいても、進学を実現するうえで施設あるいは職場からの経済的な支援および住居の確保は不可欠のものであった。本調査対象者は、人並み以上の頑張りに加えて施設経験者が活用できるさまざまな資源を活用していた。こうした資源を活用できたかどうかという条件は、彼／彼女らの卒業を左右するものであった。

3-1　人並み以上の頑張り

　まず、本人たちの努力がどのようなものであったかをみていこう。調査対象者のほとんどが、学費と生活費を自らまかなうために人並み以上の努力をしていた。前掲のCさんは2つのアルバイトをかけもちし、GさんとJさん、Mさんは、働きながら学業生活を継続していた。

> 　働きながら学校行って。学費ってのは家の関係もあって払えない。奨学金が出るような男子寮があって、という病院を市内から一個ずつ探していって。その病院に電話して、自分で探して。【男子向けの寮があって、奨学金出してくれる病院？】そうです。そこで働かしてくれる。そこで、正社員で雇ってもらって。学校行きながら勉強して。（Mさん／21歳／男性）

3-2　社会資源（Social Resources）を駆使する

　進学したいという意思を持っていながらも、実現に困難が生じている施設の子どもたちと、本調査対象者の高学歴達成者との差はどのようなものか。

前掲のCさん、Dさん、Fさんのケースが示すように、人並み以上の頑張りに加えて、経済的な支援や奨学金制度などの社会資源の活用が本人の進路を大きく左右していた。
　まず、対象者たちの学費の負担を軽減したのは奨学金制度である。日本学生支援機構のような全ての学生に開かれた奨学金だけでなく、施設で生活している子どもたち対象の奨学金も活用していた。本調査対象者では、Cさん、Dさん、Gさんがそのケースである。他には、専門学校卒業後、専門学校を運営する病院において一定期間勤務する、「お礼奉公」が義務づけられている職場が提供する奨学金を、Dさん、Mさんは活用していた。Bさんは、同和対策の奨学金制度を活用していた。これらの奨学金制度は、対象者の経済的な負担を軽減するものであったし、CさんやDさんのように、奨学金制度を利用できることがわかって初めて進学が現実的に可能になった例も少なくない。奨学金制度は、卒業までの過程を支えただけでなく、それに先立つ進学という選択をする段階においても大きく貢献していた。
　次に、生活費の軽減に貢献したのは、施設が独自にもつ居住空間や経済的な援助であった。前掲のFさんは施設が独自にもつ返済期限がない基金を活用していた。また、FさんとBさんは、自分自身が働いた収入で安定した生活ができるようになるまでの間、生活していた施設が独自にもつ居住空間を活用することができた。これら施設が独自にもつ経済的あるいは物的な社会資源の活用は、対象者の経済的負担を大きく軽減したといえよう。ただ、ここで確認しておきたいのは、これらの経済的支援や住宅支援としての居住空間の提供は、国や地方自治体によって保障されたものではなく、施設が独自にもつ社会資源であり、すべての施設がそのような仕組みや経済的な余裕を持っているわけではないことである。施設が退所した若者たちのアフターケアを担うことが児童福祉法において定められたとしても、進学した若者に対する支援は多くない。そのような社会状況において、「たまたま」社会資源をもつ施設に入所したことが、対象者の経済的な負担を軽減し、卒業するまでの道のりを支えたのである。

図1 進学から卒業までの過程を支えた諸要因

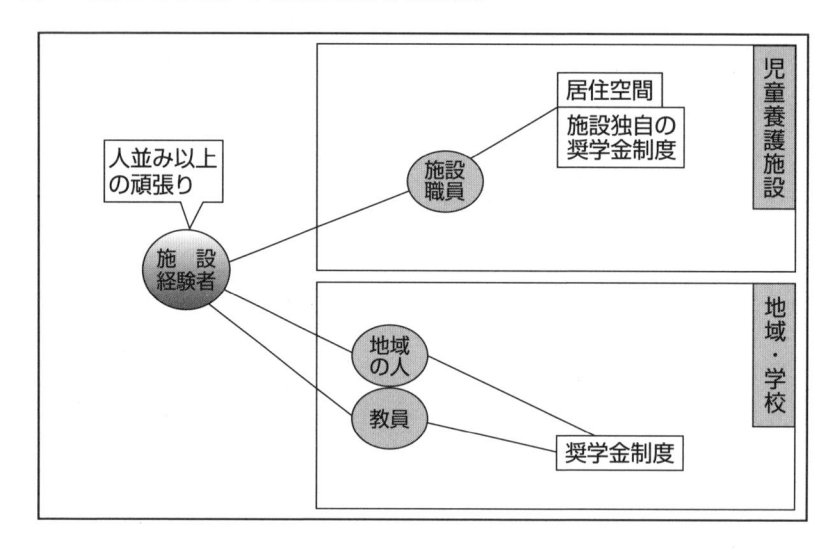

[図：児童養護施設内に「施設職員」（居住空間、施設独自の奨学金制度）、地域・学校内に「地域の人」「教員」（奨学金制度）があり、「施設経験者」（人並み以上の頑張り）がそれらとつながっている]

3-3 社会資源をつなぐ人的ネットワーク

　調査対象者の卒業までを支えた社会資源であるが、調査対象者自身によって見つけられ活用されたわけではない。図1が示すように、奨学金制度および施設独自の物的経済的資源といった社会資源は、施設職員、地域の人、教員が間に入ることによって、活用に至っているのである。すなわち、「たまたま」入所した施設や教員、地域の人たちといった人的ネットワークなしには、卒業を支えた社会資源は得られなかったのである。

　それは、前掲のCさんにとっては新しい施設長の存在であり、Dさんにとっては「たまたま」奨学生の募集に奔走していた看護師長の存在であった。そしてBさんにとっては、施設で生活する以前に住んでいた地域の人とのつながりであった。

　【入るときにお金の面は相談したりとか？】相談じゃなくて、〇〇（地域の人）さんがもう、行くんやったら（奨学金が）あるから、って感じでしたかねえ。お金の面は（笑）。（Bさん／26歳／女性／短大（保育科）卒）

おわりに

　本章では、大学等に進学した調査対象者たちの進路選択および卒業までの過程に焦点を当てて分析を行ってきた。以下では、なぜ本調査対象者たちは大学等に進学することができ高学歴達成者となることができたのであろうか、という最初の問いに立ち返り、その背景を二点に分けて述べ、若干の提言を行いたい。

　まず、本調査対象者は、進路選択において「進学は可能である」というイメージを持つことができた人びとであったことがあげられる。ただし、本調査対象者は、最初から進学を企図していたわけではなく、対象者も予想できなかった出会いによって進学を決意している例が少なくない。「進学」という選択肢そのものが、いかに施設で生活する子どもにイメージされていないかを示唆するものであろう。同時に、進学が必要とされる職業も、職業モデルとしてイメージされていないのである。本調査対象者は、大学進学に対する肯定的なメッセージを受け、信頼できる他者との出会い、具体的な職業像との出会いに加え、施設で生活していても進学できるというイメージを持てる身近なモデルとの出会い、といった複合的な条件に恵まれたことで進学を企図していた。

　また、夢を持てたこと、目指すべき職業モデルや目標の存在は、子どもが学校生活や施設生活を前向きに生きていくことに大きく貢献した。Bさんは、中学卒業後生まれ育った地域に帰ることも可能であったが、保育士の資格をとりたいという思いがあったことから、施設で生活し続けるという決断をする。その決断は、高校生活においても頑張って勉強するという姿勢を維持することになったのである。

　　　(生まれ育った地域に)「戻って来い」って言われたけど、私は、戻ったら「(高校へ)行かへんくなるな」って思ったんです。こっち来たらワーってやりたくもなるし、遊びたくもなるやろうし、そうなったら絶対高校

も行かへんくなるな。……勉強せえへんかったらついていけないじゃないですか。だから親には、「私、高校はこっちで行く」って、そんときはもう資格もとりたかったんで、「行きたいから行く」って。【高校行きたいし、資格も欲しいっていうのは、何かきっかけがあったんですかね？】その頃には、保育士じゃないけど、養護施設の職員になりたいっていうのもあったんで。資格もとりたいって思ってたんで。高校は皆勤で行きました。熱があろうが行きました。（Bさん／26歳／女性／短大（保育科）卒）

　第二に、本調査対象者は、施設で生活する子どもが進学するうえで最大の懸念事項となる経済的な負担を軽減する術を得ていたことがあげられる。本調査対象者は、進学を決意して以降、経済的な負担を軽減するための社会資源を駆使して卒業を可能にした。施設を退所した若者に対する奨学金等の経済的な資源、および居住空間等の物的な資源といった社会資源の充実は、これまで社会的養護分野においても繰り返し訴えられてきたことである。しかしながら、進学した若者に対する支援は、十分なものではない[4]。今後、児童養護施設で進学する若者の経済的な負担を軽減するためのさまざまな方策が望まれるだろう。

　こうした従来から示されてきた知見に加えて、本調査において新たに確認されたことは、調査対象者の社会資源の活用までの過程は、身近にいる他者、多くの場合は生活している施設の職員にゆだねられていたことであった。すなわち、本調査対象者の進学への後押しとなり、卒業までを支えた社会資源は、対象者本人によって発見され活用されたのではなく、身近な援助者によって「与えられた」情報によってもたらされたものであった。だからこそ、対象者は、「たまたま」や「偶然」という言葉を多用する。施設で生活する子どもにとっての職員の存在は非常に大きい。進学を企図した要因としても、卒業までを支えた社会資源をつなげる人的ネットワークとしても、職員の影響は多大であった。本調査対象者が施設に現在もコミットしているという特徴からも、職員と良好な関係を保てたことが調査対象者に利益をもたらしたと

考えられる。

　小川利夫ほか（1983：115）が指摘するように、子どもたちに直接関わる施設職員および学校教員が持つ、施設で生活する子どもにふさわしいと考える職業イメージも問い直す必要があるだろう。本調査対象者は、福祉および保育、看護を専門とする短大・大学・専門学校への進学に偏っていた。そうした職種以外の進路がもっと広く選択肢として示されるべきではないか。また、職員および教員自らが、進学および卒業を支える社会資源について理解し子どもたちに伝える力量をもつことが重要であろう[5]。さらに、どのような施設に入所したとしても、進学を企図し卒業までの過程を支えるための方策が求められている。

　最後に、ここまで示してきた解決すべき課題は、児童養護施設および社会的養護の関係諸機関や学校教育においてすべて克服できるものではないことを指摘し、結びとしたい。鳥山まどか（2008：195）によると、日本における教育費負担の大きさは少子化の一因でもあり、家庭における負担能力の差が子どもの育ちに格差・不平等をもたらすと指摘されている。日本における教育費用の私的負担の重さ、そしてそのためのやりくりをはじめとする資金計画を遂行する責任を家族に求めるあり方は、結局、貧困にある子どもたちの教育とその後の人生の機会や選択の幅を著しく狭める結果をもたらすものである。まして、施設で生活する子どもの場合は、その負担がすべて本人に課せられるのだ[6]。

　本調査から明らかとなった高等教育進学等の進学および卒業までの困難さは、職業選択の幅を狭め、退所した後の生き方そのものも狭めるものではないだろうか。本調査対象者を「エリート」「心配する必要もない子」としてよいのだろうか。本調査対象者は、人並み以上の頑張りのみで自らの志を実現したわけではない。施設職員をはじめとするさまざまな周囲の支えにより得られたチャンスを最大限活かした姿である。高等教育の達成は、負の連鎖を断ち切るためにも、安定した職業生活を営むためにも大きな意味をもつ。学歴の有無によって働き方が変化してくる現代において、家族資源を得にくい施設経験者の高等教育への進学を実現することは、施設で生活する子ども

の自立支援を考えるうえで非常に重要であろう。高等教育の達成のための負担を本人の努力に、職員をはじめまわりのサポートにのみ帰するだけではなく、進学および卒業までの過程を社会の側の責任において支えていくことが求められている。

注

(1) 大阪市児童福祉施設連盟養育指標研究会（2010）によれば、大阪市内の施設で生活する高校生94名のうち、「ぜひ進学したい」という回答は15名（16.7％）、「できれば進学したい」16名（17.8％）、「あまり進学したくない」18名（20.0％）、「進学したくない」37名（41.1％）という結果であり、進学希望のない方が多数を占める。また、1998年度に実施された同じ調査（大阪市児童養護施設連盟養護部会処遇指標研究会, 1998）と比較してもそれほど大きな変化はない。前回調査においては、107名の高校生のうち「ぜひ進学したい」16名（15.0％）、「できれば進学したい」21名（19.6％）、「あまり進学したくない」17名（15.9％）、「進学したくない」と回答した子どもは49名（45.8％）であった。
(2) 私たちは、知人の紹介等人間関係ネットワークを活用して、調査対象者に出会ったという経緯がある。しかも、その人間関係は多くの場合、対象者よりも年長者であり、対象者の支援者であったケースが含まれていた。すなわち、本調査対象者は、「誰か（いわゆる社会資源になり得るような）とつながっている人たち」という特徴をもつ。
(3) たとえば、読売光と愛の財団における読売光と愛・郡司ひさゑ奨学金、是川奨学金等、施設で生活する子どもを対象とする奨学金がある。
(4) 近年、少しずつではあるが、進学者を支援する制度が整いつつある。国による補助として大学進学等自立生活支援金が創設された（読売光と愛の事業団, 2010：236-239）。
(5) 特に本調査において、学校の教員について多くの語りがあったのはDさん、Jさん、Mさんのみであったが、それ以外の対象者は学校についての語りは多くなかった。子どもたちの学力保障および進路保障の過程において、学校教員が果たす役割は大きい。
(6) 施設で生活する子どもの自立を応援する趣旨で刊行された本である東京都社会福祉事業団（2008）では、冒頭に高等教育進学から卒業達成までに必要な費用総額が示される。この記述が示すことは、児童養護施設経験者は、教育費および生活費を含めた資金計画の遂行の責任を個人で一手に引き受けなくてはならないという現実である。こうした現実は、日本社会における教育費の負担の多くが家族に帰せられているというあり方そのものを問うものであろう。

第2部　第5章

児童養護施設経験者の学校から職業への移行過程と職業生活

妻木進吾

　本章では、施設経験者の施設退所後の生活について、学校から職業への移行過程と職業生活の展開を中心に描き出すことを試みる。

　12人の調査対象者の多くは、大学や専門学校を卒業した、施設出身者のなかでは「エリート」とみなされる人々である。しかし、施設経験者にとっての高学歴達成は、しばしば「偶然」「たまたま」「幸運」「賭け」の結果、実現されたものである。また、こうした「難関」をくぐり抜けた「施設エリート」の施設退所後の生活は、施設経験者のなかでは相対的に安定しているとはいえ、余裕がある生活とは言い難いものであった。

　「施設エリート」でさえそうした状況にあるなか、圧倒的多数を占める高卒までの学歴で施設を退所し、「強いられた自立」を生きる人びとの施設退所後の生活は、より困難なものになりがちである。高卒で学歴を終えた3人の調査対象者の事例に加えて、全国規模の統計データなどを積み重ねることで描き出されたのは、誰もが幸運に恵まれるわけではないし、賭けに勝てるわけでもないという当たり前の現実であった。重層化した困難を抱えた家族に生まれ育った人びとが、低学力・低学歴を経て、不安定な労働生活などによって形成される「袋小路的生活」へと至る、社会的不平等が世代を越えて再生産されていく現実が描き出されたのである。不平等の世代間再生産を断ち切る——児童養護施設が担うべき社会的機能は、いまだ十分に果たされていない。

はじめに

　近年、日本社会において急速に進んだ雇用の不安定化は、学校から職業生活への移行に困難を抱える若者の増大をもたらした。そうした困難を抱え込まされがちな若年不安定就業者や無業者として析出されやすいのは、またそうした状況に滞留しがちであるのは、相対的に低い学歴しか持たない若者たちである（たとえば、小杉, 2003）。そして、低学歴はこれまで繰り返し指摘されてきたように、生育家族の相対的に低い階層的背景と結びつきがちである。青木紀（2007）は、低い階層的背景が低学歴を結果してしまう要因として、学校教育費、とりわけ高等教育費の私費負担の大きさなど、日本の教育領域における「家族依存的性格」の強さを指摘している。「経済的・社会的に不利を負わされた子ども・若者ほど、『家族依存型』教育システムから早期に『排除』され、『自立』を強制される」のである（青木, 前掲：215）。このような状況にあって、学校教育からも職業世界からも最も排除されやすいのは、「早期に家族そのものが解体した場合の子どもや若者」である（青木, 前掲：215）。

　児童養護施設経験者は、「早期に家族そのものが解体した」子どもや若者の典型であり、日本社会における社会的に排除された典型的人口として位置づけられる（Goodman, 2000=2006）。ではこうした子どもや若者を養護するとともに、「退所した者に対する相談その他の自立のための援助を行うことを目的とする施設」（児童福祉法第41条）である児童養護施設は、その目的を首尾よく達成し、彼／彼女らの学校教育や職業世界での達成・自立を支えることができているのであろうか。本章は、施設経験者の施設退所後の生活について、学校から職業への移行過程と職業生活の展開を中心に描き出すことで、こうした問いに答えようとするものである。

1　学歴達成の困難

　職業への移行、職業的キャリアの展開について見ていく前に、まずはそれらの出発点となる学歴達成の状況について概観しておく。本調査対象者12人中8人は高卒後に進学しており、4章ではその高学歴達成を可能にした条件について検討されているが、彼／彼女らはいわば「施設エリート」なのであり、3章でも述べられているように、施設の子どもたち全体についてみると、その学力・学歴は低いものにとどまりがちである。ここではそうした傾向を全国の児童養護施設入所者に関する統計データから確認しておきたい。

　まずは中学卒業後の進学率についてである（**表1**）。全国の児童養護施設入所者の全日制高校進学率は、1961年では5.8％（「一般家庭児童」59.3％の10分の1）、60年代末でも9.4％（同75.9％の8分の1）にすぎなかった。義務教育ではない高校への進学に公費（特別育成費）が支弁されることになったのは1973年であり、それまで高校進学には極めて大きな困難が伴ったのである。公立高校の進学に公費支弁がなされるようになって以降、高校進学率は徐々に上昇する。1988年には私立高校進学にも公費が支弁されるようになった。とはいえ、1993年時点でも高校進学率は54.0％であり、「一般家庭児童」95.0％に対してはるかに低い水準であることに変わりはなかった。

表1　児童養護施設児童と一般家庭児童の義務教育後の進路（％）

	児童養護施設児童				一般家庭児童			
	進学率			就職率	進学率			就職率
		全日制	専門			全日制	専門	
1961年	10.3	5.8	4.5	89.7	62.3	59.3	3.0	37.7
1969年	23.3	9.4	13.9	76.7	79.4	75.9	3.5	20.6
1974年	41.3	19.5	21.8	58.7	90.8	88.3	2.5	9.2
1980年	48.1	31.5	16.6	51.9	94.2	92.1	2.1	5.8
1984年	52.0	35.4	16.6	48.0	93.9	92.9	1.0	6.1
1990年	62.5	49.5	13.0	37.5	96.0	95.0	1.0	4.0
1993年	60.6	54.0	6.6	39.4	96.0	95.0	1.0	4.0

出典）Goodman（2000=2006：230）

その後、2004年度には全日制高校進学率は69.9％、定時制高校、盲・聾・養護学校高等部などを加えた「高等学校等進学率」は87.7％にまで上昇する（全国児童養護施設長研究協議会, 2006)[1]。それでも全国平均97.6％を10ポイント下回っており、格差が解消されたわけではない。また、高校などへの進学者の11.7％はその後中退しており、その割合は全国平均2.1％を大きく上回っている。高校中退を加えると、最終学歴が中卒である割合は2割を超えている。

　高卒後の進路についてみると、全国平均との格差はより著しい。「大学等」（大学、短大、いわゆる専門学校など）への進学率は、全国平均66.3％（04年度）、67.5％（05年度）に対して、児童養護施設入所者ではそれぞれ19.1％、16.0％と、3分の1から4分の1程度にとどまるのである（表2）。

　高卒後の進路の内訳がわかる別の調査データをみると（表3）、4年制大学への進学率は全国平均39.3％に対して、施設入所者ではわずか4.8％と、8分の1程度にとどまっている（全国児童養護施設長研究協議会, 2006）。高卒後に進学する割合自体が低いことを考えても4年制大学進学率の低さは著しい。表4は、この点をわかりやすくするために高卒後に進学した人だけを取り出し、各進学先の構成比を表したものである。施設入所者の高卒後の進学先は全国と比べて専修学校（専門課程）や短大、公共職業能力開発施設に偏っており、4年制大学への進学率が低いことがわかる。

　高校進学率の格差は、以前よりは縮小しつつも今なお残っている。そのう

表2　児童養護施設入所者の高等学校卒業後の進路状況（2004年度）

| | 高等学校等卒業者数 | 大学等へ進学 | 進学していない | | 全国の高卒者の大学等進学率 |
			就職した	その他	
2004年度	1231人	19.1％	69.9％	11.0％	66.3％
2005年度	1303人	16.0％	75.6％	8.4％	67.5％

出典）2004年度は、「今後目指すべき児童の社会的養護体制に関する構想検討会 中間取りまとめについて」（厚生労働省雇用均等・児童家庭局家庭福祉課（2007年5月31日））、2005年度は「社会的養護体制の現状と今後の見直しの方向性について」（厚生労働省 第1回社会保障審議会 少子化対策特別部会（2007年12月26日）資料2-3）。全国の出典は「学校基本調査」（いずれも翌年5月1日現在）。

注）「大学等」とは、大学、短期大学、高等専門学校4年、学校教育法に基づく専修学校（第82条の2）及び各種学校（第83条）、職業能力開発促進法第16条に基づく公共職業訓練施設をいう。

え、高卒後の進学率は極めて低い水準であり、進学先も4年制大学以外の専門学校などに偏りがちである。施設入所者だけをみると確かに以前に比べれば高学歴化したといえるが、日本社会全体が高学歴化しているなかで、施設入所者の学歴達成は依然として低いままに押しとどめられているのである。

表3　高等学校卒業後の進路状況詳細（2004年度）

	児童養護施設		全国
	人数	％	％
進学者	173	20.6	74.3
4年制大学	40	4.8	39.3
短期大学	32	3.8	7.5
高等学校等の専攻科	6	0.7	0.4
専修学校（専門課程）	76	9.0	19.0
専修学校（一般課程）	4	0.5	7.3
公共職業能力開発施設	15	1.8	0.7
進学せず	646	76.9	25.7
その他	21	2.5	
総数	840	100.0	100.0

出典）「児童養護施設」は「児童養護施設在籍児童の高等学校（全日制・定時制課程）卒業後の進路に関する調査結果（有効回答施設330、対象880人）」（全国児童養護施設長研究協議会，2006）、「全国」は「学校基本調査（2005年度）」。
注）全国の「4年制大学」「短期大学」進学者には、「大学・短期大学の通信教育部」（624人）、「大学・短期大学（別科）」（197人）の数値が含まれていない。

表4　高等学校卒業後の進学先内訳（2004年度）

	児童養護施設		全国
	人数	％	％
4年制大学	40	23.1	52.9
短期大学	32	18.5	10.1
高等学校等の専攻科	6	3.5	0.5
専修学校（専門課程）	76	43.9	25.6
専修学校（一般課程）	4	2.3	9.8
公共職業能力開発施設	15	8.7	1.0
進学者総数	173	100.0	100.0

出典）表3に同じ。

2 「施設エリート」の職業への移行と職業生活

2-1 「施設エリート」8人の職業生活の概況

　前節でみた2004年度調査の結果から大まかに推計すると、施設入所者の最終学歴は、高校中退を含めた中卒が2割強、高卒6割強、高卒後に進学15％程度となる。大学などに進学するのは7人に1人程度である。このように施設入所者の学歴達成が非常に厳しい状況にあるなか、調査対象者12人全員が高校を卒業し、12人中8人は高卒後に専門学校や短大・大学に進学している（残り4人のうち1人は予備校在学中）。これまでの各章で論じられているように、多くの施設経験者と同様に彼／彼女らも落ち着いて勉強に取り組むことが難しい生育家族の状況、施設や学校における学習支援・進路保障が不十分な状況を生きてきた。それにもかかわらず、彼／彼女らは高い学歴達成を成し遂げたのである。彼／彼女らは、施設職員からしばしば「施設退所後に心配する必要がない」「施設エリート」と見なされる存在である。以下では、「施設エリート」と見なされる彼／彼女らの学校から職業への移行、そして職業生活の概要についてみていくことにする。

　まず、専門学校に進学した4人についてである。

　Dさん（22歳／女性）は高卒後、看護専門学校へ進学した。卒業後は専門学校で学ぶための奨学金を受けていた病院で正看護師として働いている。Mさん（21歳／男性）も高卒後、看護専門学校に進学した。彼は専門学校在学中から看護助手として正規雇用で働いており、卒業後も同じ病院で働き続けている。Gさん（21歳／女性）は、保育士資格を取得できる3年制の夜間専門学校に進学した。卒業後は契約社員の保育士として保育所で働いている。現在1年目で、叔父宅で暮らしながら働いている。

　Jさん（31歳／男性）の学校・施設から職業への移行はやや異なっている。彼は中学生時代のおよそ1年半、施設に入所した。その後、「家庭引き取り」になり、父親の経営している飲食店を手伝ったりパン屋で働いた後、建設日雇労働者となる。建設現場で働くなかで、読み書きを学びたいと考えるよう

になった彼は、建設仕事を続けながら22歳で定時制高校に入学した。

> 現場で（作業確認のための）写真を撮るときに黒板に字を書かなきゃいけないんですけど、それがわからなくてですね。もう酒飲みながら親方にどういう字を書くんですかって（尋ねて）。そのメモをして、それでメモを見ながら黒板に字を書くっていうのが、すごい格好悪くてですね。

定時制高校在学中に児童養護施設の職員になるという夢を持つようになった彼は、卒業後、保育士の専門学校に進学した。卒業後は世話になっていた建設トビの会社で１年間「お礼奉公」をした後、「うちに来たらいい」と誘ってくれた児童養護施設に就職し、現在２年目を迎えた。

次に、短大・大学に進学した４人の学校から職業への移行、そして職業生活の概要である。

Ｂさん（26歳／女性）は短大に進学し、幼稚園教員と保育士の資格を取得した。卒業後は、短大の実習で行った知的障害者の入所更生施設で生活支援員（正社員）として働くことになり、職員寮に入った。働き始めて現在で６年目になる。Ｃさん（22歳／女性）は４年制大学に進学し、社会福祉を学んだ。児童福祉を学ぶために大学院に進学し、ゆくゆくは社会福祉関係の相談員の仕事に就くことを視野に入れながら、現在は大学時代に始めた事務関係のアルバイト（週６日）を続けている。Ｆさん（29歳／男性）は「福祉系が身近なんで」と福祉を学べる４年制大学に進学した。卒業後は、自分が入所していた施設で指導員として働いている。１年目は非常勤、２年目からは正規雇用になった。働き始めて現在で７年になる。Ｌさん（23歳／女性）は、幼少期から中学２年まで施設で暮らし、その後は母親と暮らしている。４年制大学卒業後は正社員として営業事務の仕事に就いた。職場の人間関係の問題でその仕事は１年後に退職しており、現在は居酒屋とバーで週５日アルバイトをして暮らしている。給料は月15～16万円程度である。

2-2 「施設エリート」にみられる職業的水路づけと「非エリート的」就業状況

　今回の調査対象者には「看護師」「保育士」「児童養護施設の先生」などの進路希望を持つ人が多く、大学・短大・専門学校に進学した8人中5人が実際にそれらの仕事に就いていた。施設児童を対象とする奨学金を得て大学・短大・専門学校に進学した奨学生の作文集『夢追いかけて』(読売光と愛の事業団編, 2003) を見ても、こうした職業が進路希望のかなりの割合を占めている。これらの職業は、「施設エリート」と見なされる層の就業先として重要な位置を占めていると考えられる。

　その背景には、施設入所に至る経験や施設での暮らしにおいて、こうした職業が達成モデルとして身近にあったこと、裏返せば職業達成モデルが限定されていたことがあるのではないかと考えられる。また、先にみたJさんのように、彼／彼女らを取り巻く社会的ネットワーク内で直接的なリクルートが行われるというケースもみられた。たとえばBさんは、短大卒業後、短大の施設実習で行った知的障害者施設の園長 (短大教員) から、「うちに来い」「寮もあるし」と誘われ、現在まで働いている。福祉系の4年制大学に進学したFさんは、児童福祉関係を目指して就職活動に励むが、なかなか内定は得られなかった。どうしようかと考えていたときに、「非常勤で働かへんか？」と誘いがあり、自身が入所していた児童養護施設に非常勤指導員として住み込みで働くことになった。

　さらに、施設入所者にとって避けがたいいくつかの制約が、実現可能な職業として、寮・奨学金付きの病院の看護職などへと、進学先・就業先を水路づけているという側面もあるだろう。彼／彼女らの多くは進学に際して親からの援助を期待できないし、高校を卒業すると施設を退所しなければならない彼／彼女らは、進学先・就業先を確保すると同時に住居もまた確保しなければならないからである。

　Mさんは高卒後、看護専門学校に進学するが、専門学校の試験に合格後すぐに始めたのは、通学しながら働ける病院探しだった。「やっぱ学費ってのは、家の関係もあって払えない。で、奨学金が出るような、男子寮があってっていう病院をもう一個ずつ探していって」。Mさんは進学と同時に、寮付き

で奨学金制度もある病院で看護助手（正規職員）として働くことになった。１年目は夜勤ありで月120時間、２年目は月150時間の勤務をこなしながらの専門学校生活だった。Ｄさんも高卒後に看護専門学校に進学したが、Ｍさんと同じく病院から給付される奨学金を受けていた。住まいは看護専門学校の寮だった。施設退所後に生活するための寮、学費・生活費をまかなうための奨学金制度——看護学校は施設入所者が求めるこうした条件をクリアする数少ない選択肢のひとつなのであろう。そして、奨学金の受給は、専門学校卒業後に当該病院で働く「お礼奉公」とセットとなっている。たとえば３年奨学金を受給したら、その後の３年間は当該病院で働かなければ奨学金の返還が必要になってくるのである。専門学校卒業後、Ｍさん、Ｄさんは、准看護師・正看護師として「お礼奉公」をしている。

「看護師」「保育士」「児童養護施設の先生」——これら職種への就業は、それが職業達成モデルの限定によるにせよ、経済的制約や住居確保という制約によって水路づけられたものであるにせよ、施設経験者にとって非常に狭き門である専門学校や短大への進学を経て実現されたものである。そんな「施設エリート」と見なされる彼／彼女らの現在の就業状態と生活は、施設経験者のなかでは相対的に安定したものということができるのかもしれない。

とはいえ、Ｇさん、Ｃさん、Ｌさんの現在の仕事は、契約やアルバイトといった不安定さを抱える非正規雇用であり、また正社員・正規職員であってもその労働条件は、とりわけ福祉系の職業に従事している場合——日本社会における福祉労働者の多くがそうであるように——必ずしもよいものとはいえない。

Ｂさん（26歳／女性／短大卒）は、知的障害者の入所更生施設で生活支援員（正社員）として働いている。勤務はシフト制で、10日連続で勤務が続くこともあり、長時間の「サービス残業」も常態化している。保険等は完備だが、初任給は手取り月11万円。６年目の現在でも手取り月13～14万円程度である。児童養護施設の指導員として働き始めて７年目になるＦさんの場合、給料の額は不明であるが、将来展望について、「働きだしてから給料が上がらない……変わらないですねー、ほぼ。10年後、20年後もこれやったら無理

やなっていうのはありますね。……(10年後、この仕事は)たぶん続けてないかな」と語る。

3　1975～85年調査に見る施設退所後の「袋小路的」生活

　「施設エリート」と見なされる大学・短大・専門学校に進学した調査対象者であっても、その労働条件は必ずしもよいとはいえない。では、圧倒的多数が高卒以下の学歴である施設経験者全体でみると、その退所後の生活はいかなる状況にあるのだろうか。

　施設入所者の学歴達成が低いものにとどまりがちであることは、当然のことながら、多くの若者が早い段階で施設を退所し、労働市場に参入する／押し出されることを意味している。2004年度の中卒就職の割合は、全国平均0.7％に対して施設入所者では9.3％であった。同年度の高卒就職の割合は、全国平均17.4％に対して施設入所者では75.1％であった(全国児童養護施設長研究協議会, 2006)。

　彼／彼女らは施設退所後、どのような職業的キャリアを歩んでいくのであろうか。グッドマン(前掲：56)が「施設を出た若者が実社会でどのように暮らしているのか(略)公式の統計がまったく取られていない」というように、施設入所者の退所後の生活に関するデータは乏しい。数少ない調査研究のひとつが松本伊智朗(1987)によるものである。松本は、①札幌市の児童養護施設を1975～85年に卒園した子ども427名のケース記録、②児童養護施設卒園者23名の面接調査(1985年)の結果から、施設退所後の生活の基本的な特徴を描き出そうと試みている。時代は遡ることになるが、この結果から、施設入所者の過半数が中卒で就職していた時代の施設退所者の就業状況をまとめると次のようになる。

　427名のケース記録に基づく調査結果によると、学校を出て初めて就いた仕事は、中卒男子では「大工・左官の見習い」「単純屋外労働」「調理師」が6割を占め、中卒女子では「理美容師の見習い」「紡績工」が半数を占める。

勤め先は小規模な事業所が多く、雇用形態は「見習い」が4割程度を占める。面接調査の結果から描き出された男子の職業的キャリアは、「中・高卒を問わず、転職先は『新聞店』か『アルバイトニュースがたより』のアルバイト的な仕事であり、その先も単純屋外労働や新聞店の様な極めて不安定な職に流入せざるを得ない」とまとめられ、女子については、「転職先は……一例をのぞいてすべて『ウェイトレス』か『水商売』である。そしてその後は『ウェイトレス』『水商売』『臨時店員』の間を移動し得るにすぎない」とまとめられている。施設退所者の職業的キャリアに多く見出されるのは、「紡績工」「新聞店の住み込み」など、いずれ離職することを予定して入職しているということにおいて「何等永久的な仕事として存在しない」、次の職業に生かされるという「職業生活の発展の可能性」も奪われた「袋小路的職業」である。そして松本は、施設退所者の生活の基本的な特徴を、こうした低位な労働生活と希薄な社会的ネットワークの相互規定性により形成される「袋小路的」性格と結論づけている。

4 変わらない「袋小路的」生活に至らしめるさまざまな制約

2006年に私たちが出会った18〜31歳（半数は20歳前後）の調査対象者が語った同世代の施設退所者——施設経験者の多くがそうであるように高卒までの学歴で施設を退所している——の退所後の就業状況は次のようなものであった。就いている仕事として挙げられたのは、「スシ屋」「大工見習い」「ホスト」「水商売」「運送」「旅館に住み込み」「ゴルフ場のキャディ」「バスガイド」などであり、あわせて「寮付き」「住み込み」といった居住形態、さらには「中卒で仕事は続かない。転々と、何個も変えて」「あまり良い話は聞かんかった。途中で辞めたり」「続けてる子はあんま（り）いない」「大体みんなバイト」など、安定とはほど遠い就業状況が語られたのである。ここから浮かび上がる退所後の生活は、「袋小路的」性格を基本的特徴とするという点において、松本が調査を行った20年以上前の状況と大きく異なってはいない。

以下では、施設入所者の退所後の生活を「袋小路的」なものに至らしめるいくつかの制約について、高卒で施設を退所し、労働市場に参入することになった調査対象者3人の事例を中心に見ていく。

4-1 低学歴と早期の就業への水路づけ

「教育歴を非常に重視する実社会において成功する準備が最もできていない者ほど、教育歴に恵まれ成功の準備が最も整っている者より何年間も早く実社会に出なければならない」(Goodman, 前掲：244)。低学歴での職業生活への移行は、それ自体が「袋小路的」生活へと至る制約となる。

① 経済的制約

施設で暮らす彼／彼女らにとって、中学卒業後に高校に進学しないことは、15歳で施設から退所しなければならないことを意味する。彼／彼女らは、施設に残るためには高校に進学しなければならないことを知っている。「（進学しなければ施設を出されることが）わかってたので、中3すごい頑張りました」(Cさん)。このようにして、本調査対象者12人全員が高校に進学することになるが、「頑張った」結果に見合う学校に進学できるとは限らない。Gさんは、「成績もそんなに悪くなく」中学時代を過ごしてきたが、施設職員から「公立一本じゃないとアカン」と私立高校の受験が認められなかったため、「確実に入れる」入学難易度の低い公立高校を受験しなければならなかった。1988年に私立高校進学に対する公費（特別育成費）支弁が認められるようになったが、2000年代に入っても私立高校への進学を認めない施設が少なくなかったのである[2]。Cさんは、「（高校卒業後は）もう働かないといけないと思ってたから」と商業高校に進学した。彼／彼女らは施設に残るために、あるいは高卒後の進路が制約されているために、高校選択の幅を狭めざるを得ない。

大学・短大・専門学校への進学はなおさら困難が大きい。高卒後の進学に対する制度的支えが極めて不十分な状況にあって、進学するためには、勉強だけでなく、学費や生活費を捻出するための金銭面での「頑張り」が必要となるからである。たとえばMさんは、高校時代からアルバイトで進学費用を

貯めた。高校卒業後は看護助手として月120〜150時間働きながら看護専門学校に通った。また、保育士資格を取得できる夜間の専門学校に進学したGさんも高校時代から進学費用を稼ぐためにアルバイトをしていたが、合わせて200万円近い学費、さらには施設退所後のアパートでのひとり暮らしの生活費を稼ぐために、専門学校に進学してからも毎日10時間に及ぶアルバイトをしなければならなかった。

　しかし、施設入所者にとって進学は「頑張れば報われる」というものではない。それはしばしば「偶然」「たまたま」「幸運」の結果であり、また「賭け」の結果に左右されるような不安定さをはらんだものなのである。4章で詳述されたように、Dさんが看護専門学校の進学費用の問題をクリアできたのは、「偶然」「たまたま」奨学生を捜していた病院の看護師長との出会いによるところが大きい。4年制大学に進学したFさんの場合、施設職員が進学に肯定的で、入学金や授業料の一部、およそ200万円を施設から借りることができたが、こうした施設に入所していたのは「幸運」というべきだろう。Cさんは4年制大学への進学を希望していたが、施設職員は、「そんなん行ってお金かかるやろ。お金どうすんねん」と「全然賛成してくれない」。そうした状況にあった彼女が大学に進学ができたのは、「運がいい」ことに、新たにやってきた施設長が進学を応援してくれたからだった。また彼女は、「これがもらえないと大学に行けないんだなぁ」と施設入所者を対象とした給付奨学金の応募書類の作文に「人生を賭けた」。Cさん、Dさんが採用されたこの給付奨学金の採用率は7人に1人程度であり、まさに「賭け」である。

　当然のことながら、誰もがこのような「幸運」に恵まれるわけではないし、「賭け」に勝てるわけでもない。誰もが人並み以上に「頑張れる」わけでもない。

　対象者のなかには、小さい頃からの夢をかなえるために専門学校への進学を目指し、施設を出た後は親戚の家に身を寄せてアルバイトを続け、進学費用を確保しようと努めた人がいる。しかし、目標とする金額には程遠く、「何かもう貯まらなさすぎて。もう就職しようかなって思う。その仕事にはつきたかったけど、正直もうどうでもよくなってきた」と語ってくれた。

② 限定された地位達成モデルと冷却される進学アスピレーション

　施設入所者の進学率の低さの要因として、施設入所者の学習意欲の低さ、進学アスピレーションの低さが指摘されることもある（松本, 前掲：58）。その背景には、進学に対する制度的支えの不十分さに加えて、彼／彼女らの生育家族の相対的に低い社会階層的背景、生育家族が抱える重層化した困難があると考えられる。それは、「落ち着いて勉強に取り組むことができない環境」であるというだけでなく、「身のまわりの準拠モデル」が限定されたものであることも意味するからである。施設入所によって、彼／彼女らは施設職員と入所者の世界へと編入されることになるが、施設での生活も「落ち着いて勉強に取り組むことができない環境」であることが少なくない。また、施設入所者の学歴達成はすでに指摘したように低いものにとどまっており、それは彼／彼女らが施設に入所して以降も「準拠モデル」の限定が継続することを意味する。19歳の男性Ｉさんは次のように語っている。

　　まわりもマジで施設で（学校を）さぼってるやつ多くて、それでその波に飲まれてしまいます。……半分ほど学校（高校）辞めましたね。……【紹介者：この子らの上の子らが12～13人おって、半分辞めた学年なんですよ。】……環境は人をつくります。……（施設内の一室が）学習室、自習室って名前にはなってるんですけど、別にそんな勉強するやつとかがほとんどいないから。もう環境がそんな環境ですね。勉強（をするの）はあそこでは厳しいですね。……雰囲気がもう無理な雰囲気なんで。

　さらに、高卒後の達成モデルもまた限定されがちである。進学に必要な経済的負担の問題も深く関わっていたのであろうが、26歳の女性Ｂさんは高卒後の進路について、当時は「基本的には就職」であり、「早く就職」、女性の場合は「早く結婚」という考えがあったのではないかと語っている。

　　私らの学年（1990年代後半に高校を卒業）では短大行ったのが２人で、あとはみんな就職しましたね。基本的にはやっぱ就職の子の方が多い。当

時、施設の子は、「早く就職、早く就職。早くお前結婚、早く」っていう考えが多いんかもしれない。……あったかい家庭（をつくりたい）、そういうんがあるんかもしれないですね。早く子どもつくって（温かい家庭をつくり、子どもには）自分のような思いをさせたくないという思いがあるんかどうかわかんないですけど、多いですよね。短大なんか行ったら出費だけじゃないですか……結構みんな就職してましたけど。続けてる子はあんまいないですけどね。

　そして実際に、多くの施設入所者が中卒あるいは高卒という早い段階で施設を退所し、就職していく。24歳のＨさんが、「皆、結婚してるんですよ。だから、(私は)『行き遅れたかな』って思って。……（結婚していないのは）私ぐらいなんですよ。……皆、もう子どもとかいてるから」というように、女性の場合では早くに結婚することも少なくないようである。
　2章で述べられているように、児童養護施設における暮らしは、多数の子どもらが接近し強く意識しあう関係性のなかで展開される。そうした状況であるがゆえにより強力に機能すると思われる達成モデルは限定されがちなのである。進学を支える制度的支えも乏しい。進学アスピレーションは冷却されていく。結果、彼／彼女らは「早い就職」「早い結婚」へと水路づけられ、成功する準備が整わないままに施設退所・就業へと押し出されていく。

4-2　退所後の住居確保という制約
　高校に進学した施設入所者も通常18歳になり高校を卒業すると、措置解除により施設から退所しなければならない。したがって、多くの施設入所者にとって高卒後の進路は住居の確保とセットでなければならない。2005年3月に高校を卒業した施設入所者のうち、高卒後の4月現在、「家庭引き取り」となったのは2割に満たない（全国児童養護施設長研究協議会, 2006）。親との同居を含め、親を頼ることができる人は少数である。また、高校時代のアルバイトによる貯金や、わずかばかりの「就職支度金」で住まいを確保することは困難である。結果、「寮・社宅付き」が職業選択の条件となる。2005年度

に就職により施設を退所した人の54.0%は、退所後、「会社の寮」「住み込み」により住居を確保している（全国児童養護施設長研究協議会，前掲）。

2節でみた専門学校に進学したMさんやDさんの進学のための条件が「寮付き」であったのと同様に、高卒で施設を退所し就職したKさん（31歳／女性）の就職先の条件も「寮付き」であった。

【高校卒業するとき、就職以外は考えなかった？】うん。何か学校とか、行くためのお金がないから。学園は出ないといけないし、ひとり暮らしとかもお金ないし、学校に行くお金もないし。もう勉強はいいかなと思って……（高校の）進路指導の先生に、「家がないから、寮がある所で探して」って言ったら、「そこ受けてみなさい」って言われて。寮があるからそこに行った感じ。……寮がある所やったら何でも、工場やったら何でもいいって言っていたから。

彼女はそれまで暮らしていた施設から遠く離れた地方の寮付きの紡績工場に就職した。6年間働いた後、紡績工場で同僚だった友達に誘われ、友達の家族が経営しているスーパーマーケットに住み込みで働くことになった。個人経営の店で定休日がなかったため、休みもほとんどなく3年間働いた。2年前からは、入所していた施設のある地方に戻り、アパート暮らしをしながら、自動車部品製造工場で検査・梱包・出荷の仕事をしている。

住居の確保とセットで進路を確保しなければならないこと、そしてそれが多くの場合、「会社の寮」「住み込み」という形態とならざるを得ないことは、職業選択の幅を著しく狭めることになる。また、こうした職住一体の就労形態は、仕事の喪失がダイレクトに住居の喪失と結びついてしまうため、生活の不安定度も高い。さらに、職住一体の住居を確保しようとすると、入所していた施設や住み慣れた地域から遠く離れた地へと移動しなければならないことも多い。結果、当初から希薄であった社会的ネットワークのさらなる希薄化が促されることにもなりがちである。

4-3 頼れない家族／桎梏としての家族

　彼／彼女らの生育家族の重層化し絡まり合った困難さは、中学や高校を卒業し措置解除となることとは無関係に存在している。困難さが入所した時点よりも深刻化しているケースもある。すでに親が亡くなっているなど、頼れる親族がそもそもいないという場合もあるし、存命中でも頼れる状況にないという場合も少なくない。施設を退所して生活を営む彼／彼女らにとって家族は、セーフティネットやジャンピングボードとしての資源とはなり得ない。場合によっては、援助を期待できないだけでなく、家族自体が桎梏とさえなるのである。

　乳児の頃から施設で暮らしてきたKさんは、中学に入って以来、家族とは連絡をとりあっていなかった。次に母親から連絡があったとき、彼女は20歳になっていた。高卒で施設を退所し、紡績工場で働きながら寮で暮らしていた彼女にかかってきた電話で母親の口から出たのは、「20歳になったから、産んでやったんだから、お金をくれ」という言葉だった。この電話以降、母親とは現在まで連絡をとっていない。「本当の父親」には生まれて以来一度も会ったことはない。きょうだいにも連絡はしないし、きょうだいからの連絡もない。

　きょうだい8人全員が児童養護施設に入所していたCさん（22歳／女性）は、施設退所後、年上の3人のきょうだいとは連絡をとらないようにしているという。

　　（きょうだいとは連絡を）とってません。何か恐ろしいですよ。上の人から連絡きた日にゃ。……なんかお金をむしられるかもしれないじゃないですか。【そういう話が多かった？】うん、多かったです。

　こうした状況にあって、家族との関係は疎遠なものになりがちである。
　また、葛藤含みの家族との関係が職業選択上の制約となることもある。Hさん（24歳／女性）は、父親から深刻な虐待を受け、高校生のときに施設に入所した。高卒後、「親から離れる」ことが必要だったHさんは、生まれ育っ

た地域から遠く離れた地方で就職することになった。家族関係上の困難が制約となり職業選択の幅を狭めることになったのである。

> 高校卒業したときに、「どうしよう」と思って。家に帰るという考えが自分のなかになかったので。親から離れたかったんですよ。……「県外しかない」って思って県外をずっと探してたときに、学校の先生が「こんなんあるけど」（と紹介してくれた）。全力で行きましたね。……「何でもいいから行く」みたいな。……【仕事の内容とかは別に気にせず？】全く、それはたいしたことじゃないですね。……親から離れるのが、一番デカいですね。うん。「すぐに来られない距離に行かなきゃ」って思ってました。じゃないと、自分がしんどくなるから。

　高校卒業後、彼女は生まれ育った地域を離れ、派遣会社を通じてゴルフ場のキャディとして働くことになった。住居は派遣会社の寮である。朝6時半のバスに乗り、7時にはゴルフ場に到着。その後、17時頃まで働いた。実働10時間、週休1日で寮費などが引かれて手取りは月14〜15万円程度だった。3年働いたことを区切りにキャディの仕事を辞めた彼女は、同僚だった友人の住む町に引っ越した。アパートを借り、衣料品店のアルバイトを始めた。週6日、毎日9時〜22時まで一日13時間働いている。しばらくしてからは、衣料品店の定休日に居酒屋でのアルバイトも始めた。1週間休みなく働き続けているが、給料は合わせても月20万円に満たない程度である。衣料品店で働き始めて、あと少しで丸2年になる。

　桎梏としての家族の存在は、彼／彼女らに入所していた施設や住み慣れた地域から遠く離れることを余儀なくさせ、結果、「住居確保の必要性」と同様に、当初から希薄であった社会的ネットワークのさらなる希薄化を促すことにもなっている。

　「低学歴と早期の就業」「住居確保の必要性」「頼れない家族／桎梏としての家族」——こうした制約はそれぞれが絡みあいながら、全体として安定した職業生活への移行と職業的キャリアの展開を困難なものとする要因となっ

ている。調査対象者の学校から職業への移行、そしてその後の生活には、松本（前掲）が指摘した低位な労働生活と希薄な社会的ネットワークの相互規定性により形成される「袋小路的」性格が内包されているのである。そして、それらの制約、とりわけ「住居確保の必要性」「頼れない家族／桎梏としての家族」といった制約は、高卒で施設を退所した３人だけでなく、相対的に高学歴な「施設エリート」と見なされる層を含めて、多くの施設経験者にとって逃れがたく存在している。

とはいえ、今回の調査対象者の現在の状況、たとえば給料の額は、彼／彼女らの年齢を考えると極端に低いわけではない。アルバイトの稼ぎで賃貸アパートを借りてひとり暮らしをしている若者も今や珍しい存在ではなくなった。そう考えると、彼／彼女らは「それなりに暮らしている」といえるかもしれないし、実際、「それなりの暮らし」さえままならない状況であれば、私たちの調査に応じてもらうことは難しかっただろう。しかし、彼／彼女らの一見それなりに安定して見える暮らしの基盤はそれほど強固なものではない。

湯浅誠らは、貧困を総体的な"溜め"（capacity）のない状態と定義したうえで次のように書いている。

> "溜め"とは、人を包み込み外界の刺激からその人を保護するバリヤーのようなものと想像すればいい。たとえば、金銭的な"溜め"とは貯金のことであり、貯金があれば、人は失業してもすぐに生活困窮に立ち至るわけではない。また、人間関係の"溜め"は、家族・親戚・友人などの多様な人的関係資源を指す。400万人を超えるフリーターがそれでもただちに生活困窮状態に陥らないのは、親との同居、家族からの仕送り、または異性との同棲・結婚、友人宅への居候・ルームシェアなどで支えられているからである。（湯浅・仁平, 2007：341）

「低学歴と早期の就業」「住居確保の必要性」「頼れない家族／桎梏としての家族」といった制約を背景に、児童養護施設経験者の多くは"溜め"が非常に小さい状態を生きている。失業してしまう。あるいは不注意から、乗って

いた自転車を高級外車にぶつけて10数万円の修理代を請求される。"溜め"が大きく、たとえば親に頭を下げて当面の生活費や修理のための費用を工面してもらえれば、ほんの些細な出来事としてやり過ごせるものであっても、そうした"溜め"を持たない人にとっては、一気に生活困窮に陥る引き金になりかねない。それなりに安定して見える暮らしであっても、施設経験者の生活を支える基盤は、同じようにアパートでひとり暮らしをする多くの若者よりもはるかに脆弱なのである。雇用の不安定化が加速している近年の状況を考えると、施設経験者全体では、その退所後の生活がこれまで本章で描いてきた以上の困難さを伴うものであることが十分に予想される。

5　ホームレス化する施設経験者

　　私、ホームレスにはなってないと思います。……何でホームレスになってないかというと、私なんか紙一重なんちゃうんかなと思うんですよ。

「10年後はどうしているでしょうね？」と将来展望について尋ねた際の、22歳の女性Cさんの答えである。

　岩田正美は、ネットカフェで寝泊まりする人々や野宿者、「孤独死」を例にあげながら、現代の貧困の特徴は地域や家族が貧しいというのではなく、「独りぼっちの貧困」である点に特徴があると指摘している（岩田, 2008）。松本（前掲）が施設経験者の退所後の生活に見出した、そして本調査対象者の生活からも見出された、低位な労働生活と希薄な社会的ネットワークの相互規定性により形成される「袋小路的」性格とは、この「独りぼっちの貧困」へと至らしめるモメントである。松本が指摘しているように、「袋小路的生活」においては失業が直ちに「住所不定」（＝ホームレス状態）に直結しかねないのである。

　松本が「袋小路的」性格を見出すことになった調査から20年以上経過した2007年、大阪で「若年不安定就労・不安定住居者聞取り調査」（以下、「ネット

カフェ調査」と略す）が行われた（釜ヶ崎支援機構ほか，2008）。この調査はいわゆる「ネットカフェ難民」、つまり広い意味でホームレス状態にある人びとを対象とする聞き取り調査である。その結果は、「私なんか、（ホームレスと）紙一重なんちゃうんかな」という語りが、児童養護施設経験者にとって大げさなものではないことを明らかにするものであった。

　調査対象となった100人中、20・30代が76人いたが、そのうち7人には児童養護施設に入所した経験があった。「小学校低学年まで施設に預けられていた」など、何らかの施設への入所経験があり、前後の文脈からその施設が児童養護施設だと考えられるケースも含めると、その数は10人になる。76人中10人であり、その比率は13％となる。2007年10月1日現在、全国の児童養護施設在籍児童数は3万846人であり（厚生労働省「社会福祉施設等調査結果の概況」）、同年の同世代（1～18歳）推計人口との比はおよそ1対700、割合でいえば0.14％。2008年時点の児童養護施設入所児童の平均在所期間は4.6年であり（厚生労働省雇用均等・児童家庭局，2009）、一時期入所して、その後退所している人も少なくないため、実際に1～18歳で児童養護施設経験のある割合は、0.14％よりかなり高くなると考えられる。また、ネットカフェ調査は統計的なサンプリングに基づく調査ではないため、単純な比較をすることには慎重でなければならない。そうした点を踏まえたとしても、ネットカフェ調査における13％という値は桁違いに高い。「ネットカフェ難民＝ホームレス」として析出される施設経験者の出現率は、看過できない高さを示しているのである。

　この10人（全員男性）の施設退所後の生活はたとえば次のようなものである（釜ヶ崎支援機構ほか，前掲）。30代前半の男性が高校を卒業し、施設を退所した後にたどってきた職業的キャリアは、紡績工場で住み込み、パチンコ店店員、新聞の拡張員、警備員、テキ屋、飯場から鉄鋼工場、飯場の賄い夫、寄せ場・釜ヶ崎で建設日雇労働、清掃作業員である。ネットカフェ調査で対象となったその他の施設経験者の就いてきた仕事をあげると、新聞配達・拡張員、建設日雇、警備員、テキ屋、飲食店アルバイト、ホスト、スナック店員、自衛隊員、製造業派遣、物流センターでの仕分けなどであり、それらの多く

が住み込みや寮付きの仕事であった。「袋小路的職業」という点で20年以上前の施設経験者と何ら変わらない、不安定・低位な労働生活が浮かび上がる。

さらに、彼らの家族について見ると、家族がいる場合であっても、援助を期待できないだけでなく、桎梏とさえなっていることが語られている。たとえば20代後半の男性は高校中退後にスナック店員として働いていたが、彼は給料を父親から横取りされていた。さらに父親は、当時彼が付き合っていた恋人の実家からも「お金を引っ張って迷惑をかけた」。父親が亡くなってからは、「カネ返すんが筋じゃねぇか」と金融業者からも親戚からも迫られ、結果、彼は生まれ育った地を離れることになっている。

彼らの施設退所後の生活、職業的キャリアは、20年以上前の施設経験者について松本が指摘したものと同様に、低位な労働生活と希薄な社会的ネットワークの相互規定性により形成される「袋小路的」性格を色濃くもつものであり、彼らはこうした生活を経て、ネットカフェ生活や野宿生活に至ったのである。

施設経験者の退所後の生活については、松本（前掲）の報告以降、十分な調査研究がなされているとは言い難い状況にある。しかし、極限の貧困であるホームレス状態にある人びとに、看過できない割合で児童養護施設経験者が含まれていたという事実が先鋭的に示すように、深刻な社会的排除の現実を生きる施設経験者はかなりの厚みをもって存在しているのではないかと考えられる。

本調査対象者の調査時点での生活状況は、余裕のある生活とはとてもいえないが、相対的に安定した状況にある人も少なくなかった。しかし、彼／彼女らのそうした地位達成は、さまざまな制約や困難・不利が重層化した状況のなかで、しばしば「偶然」「たまたま」「幸運」「賭け」の結果実現された、不安定さをはらんだものであった。繰り返し強調しておくが、誰もが幸運に恵まれるわけではないし、賭けに勝てるわけでもない。さまざまな制約や困難・不利は、多くの場合、結果における困難・不利と結びついてしまうのである。

「ネットカフェ調査」における児童養護施設経験者の出現率の高さに示さ

れているのは、重層化した困難を抱えた家族に生まれ育った人びとが、低学力・低学歴を経て、不安定な就労と不安定な居住状態を伴う深刻な社会的排除の状態に至る——すなわち社会的不平等が世代を越えて再生産されていく現実である。日本社会のさまざまな制度・仕組みが「家族依存的性格」を強くもつなかで、本人にとって選択の余地のない、所与のものとしてある生育家族のありようが、彼／彼女らのこれまでとこれからを大きく規定してしまっている。児童養護施設は、「家族依存的性格」を強くもつ日本社会にあって、家族という資源を持たず、ときには家族が桎梏とさえなる子どもたちを養護し、自立のための援助を行う——つまり、社会的不平等の世代間再生産を断ち切るという社会的機能を担うことを期待されている。しかし、児童養護施設は、その機能をいまだ十分には果たし得ていないのである。

注

(1) 出典は、「児童養護施設在籍児童の中学校卒業後の進路に関する調査結果」(有効回答施設408、児童1,703人)。
(2) 兵庫県西宮市の公立中学の教員として児童養護施設入所児童の進路保障に取り組んできた畑中通夫(2006)によると、当該学区内にある児童養護施設では高校への進学は一部の例外を除き公立学校に制限されてきた。中学校の担当者と施設との4年がかりの協議の末、私立高校への進学が認められるようになったのは2002年である。畑中によると、現在でも進学先を公立高校に制限している施設は少なくないという。

第3部

差別とアイデンティティ

第6章

児童養護施設生活者／経験者のアイデンティティ問題

内田龍史

　本章は、日本社会における典型的な「社会的排除」の事例である児童養護施設生活者／経験者のアイデンティティ問題に着目し、彼／彼女らに対する社会的なまなざしとアイデンティティ状況を概観したうえで、肯定的なアイデンティティ形成のための自己了解の物語を導くプロセス・方法を考察している。

　隠され、時に同情され、あるいは偏見・差別の対象ともなりうる施設・施設生活者／経験者にとって、自らの社会的アイデンティティのひとつを構成する施設経験は、施設生活者／経験者であることをカムアウトする際に問題として立ちはだかる。否定的なまなざしのなかで、施設で生活している、あるいは施設を経験した自分自身を肯定的に受け入れるためのプロセスは、何らかの理由で家族と別れて生活している／したことを自覚し、そうした自分を自己了解するための物語を形成することである。

　こうした物語構築のためには、児童養護施設とは何か、社会的養護とは何か、福祉とは何かといった疑問に向きあい、それを理解することが前提となる。さらには施設生活者／経験者に親身になってくれる施設職員、施設生活／経験を肯定的に受け入れてくれる他者の存在や、他の施設生活者／経験者との交流が大きな役割を果たすと考えられる。

　確かに、肯定的な物語の構築にはさまざまな困難がある。しかし、施設生活者／経験者それぞれの困難を明らかにすることは、当事者ならではの自己了解の物語を生み出す可能性を秘めている。

はじめに

　本書各章で明らかにされてきたこととも重なりあうが、これまでにも施設生活者／経験者の困難は、さまざまな調査・研究によって明らかにされてきた。入所以前の状況として、原史子（2005）は、施設入所児童の家族的背景を、①低学歴と不安定就労による経済状況の低位性、②不安定な婚姻と希薄な人間関係、③親としての問題行動の多さに分類したうえで、多くの場合、これらが互いにリンクした形で現れていることを指摘している。こうした家族的背景のもと、児童の多くが高位の学歴達成を阻まれ（小川ほか編, 1983）、それらが不安定な就労をもたらし（大嶋・永井, 1975）、就労と希薄な「社会的ネットワーク」の相互規定性により形成される「袋小路的生活」（松本, 1987）を余儀なくされる。すなわち、施設経験は多くの場合、貧困の世代間再生産と重なりあっているのである（西尾, 1999）。さらに近年では被虐待児童の入所が増加しており、問題はさらに複層化している（上野編, 2006）。

　こうした経過もあり、日本の施設でフィールドワークを行ったイギリスの社会人類学者、グッドマンは、児童養護施設を日本社会における「社会的排除」の典型的な事例とする。「児童養護施設で暮らす子どもたち（養護施設児とよばれることもある）はただ単にマイノリティ集団であるだけではなく、経済・政治権力へのアクセスという視点からも周縁集団そのもの」（Goodman, 2000＝2006：37）だからである。

　ところで、「社会的排除」概念は、さまざまな次元を内包するものである。福原宏幸（2007）によれば、「社会的排除」は、貧困などの「経済的次元」、社会的ネットワークからの断絶などの「社会的次元」、権利の剥奪・未保障などの「政治的次元」など多次元に及ぶことが指摘されている。これらの状況は施設生活者／経験者に関する先行研究の指摘と重なるが、これらに加えて、社会的排除の「文化的次元」として、排除された人々の否定的なアイデンティティ形成の問題があるとする。すなわち「包摂へ向かう過程は、経済的・社会的・政治的次元の諸要因を克服するマクロ的な制度・政策を必要と

するが、同時に排除された個人のレベルに注目するなら、自己の尊厳に向けた肯定的アイデンティティの再確立のための支援策が求められる」（福原，前掲：16）のである。しかし、施設生活／経験者に対する差別やアイデンティティ問題に関する考察は、当事者にとっては大きな問題となりうるものの、経済的・社会的・政治的次元の検討と比較して著しく少ない。

そこで本章では、日本社会における典型的な「社会的排除」の事例である児童養護施設生活者／経験者のアイデンティティ問題に着目し、彼／彼女らに対する社会的なまなざしとアイデンティティ状況を概観したうえで、肯定的なアイデンティティ形成のための自己了解の物語を導くプロセス・方法について考察する。

1　児童養護施設生活者／経験者のアイデンティティ問題

「アイデンティティ」概念は研究領域ごとにさまざまな使われ方がなされているが、それらを大別すると、心理学で用いられる個人内での自我の「統一性」や「一貫性」を意味するアイデンティティと、社会学（社会心理学）で用いられる集団（準拠集団）ないしは社会的カテゴリーの成員性にもとづいた、「役割」に近い意味合いでのアイデンティティに分類される（Gleason, 1983；時津，1998）。

前者を代表する研究者であり、かつ、今日的な意味合いでの「アイデンティティ」概念を提唱した心理学者、エリクソン（1968=1970）によると、アイデンティティの感覚とは、生ける斉一性（sameness）と連続性（continuity）との主観的感覚のことで、加えて他者の承認を必要とするものである。そしてそれは、青年期に経験する自己と他者からの承認をめぐるアイデンティティの危機を通じて得られるものであるとしている。

他方で後者については、ゴッフマン（1963=1970）があげられる。ゴッフマンは、「個人が、われわれの注意を惹き、出会った者の顔をそむけさせ、他の属性がわれわれにもつ要請はそれがあるため無視されるような、しかもそれ

さえなければ彼は問題なく通常の社会的交渉で受け容れられるはずのひとつの性質」(Goffman, 前掲：15) であるスティグマ (烙印) を持つ人々が、どのように「印象操作」ないしは「アイデンティティ管理」を行っているのかを、演劇論的行為論を応用して描いたのである。

社会から偏見を被っているマイノリティの場合、自分の存在を価値あるものとして証明したいにもかかわらず、自分の社会的アイデンティティがスティグマを伴っているために、アイデンティティの感覚が得られず、アイデンティティ・クライシスに陥りやすいことは周知のとおりである。本章においては、児童養護施設あるいは施設生活者／経験者に対する社会的なまなざしのなかで、どのように児童養護施設経験者としてのアイデンティティ問題が立ち現れるのか、その一端を示すこととなる。

施設生活者／経験者に対する差別とアイデンティティ問題についての先行研究としては、自身も施設経験者である市川太郎 (2006) による告発がある。市川は、全国社会福祉協議会養護施設協議会編 (1977：1990) による施設生活者の作文をもとに、彼／彼女らが経験する「四つの苦痛」をあげている。それは、①施設入所前の家庭崩壊などによる苦痛、②施設入所時の家族分離不安による苦痛、③施設生活上の苦痛 (いじめ・暴力・体罰など)、④施設退所後の社会生活適応過程での苦痛である[1]。特に、④の事例として「施設出身を、胸を張っていえるか」と題する作文を取り上げており、そこでは施設経験が足かせとなって、思春期を迎えていない自分の子どもたちには施設経験者であることを話せていないこと、さらには話すときがきても非常な勇気がいるなどが告発されている。さらに市川 (2007) は、施設が「養護学校」や「少年院」と「誤解」されたり、「問題のある子」が暮らしており、それを矯正するところだという「偏見」があること[2]、それにもとづく施設生活者／経験者に対する就職差別や結婚差別があることを指摘している。

社会学領域におけるこれらの困難に関する研究としては、ゴッフマンのスティグマ論 (Goffman, 1963=1970) を援用した田中理絵 (2004) の分析がある。田中は、施設退所者ならびに入所者に対する面接調査から、彼／彼女らのスティグマ問題について分析を行っている。そこではその特徴として、①他者

からなされる自分への評価としての、親がいないことへの「憐憫」、②社会的養護を受けているということによる「依存」、③いじめによる「排除」の３つがあげられている。さらに田中は、これらスティグマの内面化過程とそれへの対処を、「モラル・キャリア」の概念を用いて描き出している。すなわち、「親がいないこと」を大きな要因とするスティグマは、施設にいる間が最も強く、退所し大人となった後は「親がいないこと」は誰しもが経験するものになることから、スティグマの解消方法は、私的な問題として自己の生活過程のなかにとどめ置かれるなど、肯定的なアイデンティティ形成の困難が指摘されている。

しかし、田中の分析は施設生活者／経験者のスティグマの分析に特化されており、それを克服するプロセスについての検討は行われていない。本章の意義は、施設生活者／経験者の困難のみならず、肯定的なアイデンティティ形成のためのプロセスについて、当事者の語りをもとに分析を行う点にある。

なお、本稿においては施設経験者のことを「施設生活者」と「施設経験者」とに分けている。本調査対象者はいずれも生活歴のいずれかの段階で施設に入所し、その後退所した人々であるから、すべて施設を経験したという意味で「施設経験者」と呼ぶことができる。しかし、施設入所者と退所者ではその対他的な社会的アイデンティティは大きく異なることから、本章では、施設に入所し、生活している人々のことを「施設生活者」と呼ぶこととしたい。

2　施設および施設生活者／経験者へのまなざし

施設および施設生活者／経験者に対するまなざしは、その多くがマイナスイメージをおびたものである。その背景として、多くの人にとって児童養護施設は未知の存在であり、「隠されている」こと、が語られている。現在施設職員であるＪさんは施設の職員になろうと思い、保育士の資格を取るための専門学校に通うこととなった。

保育士の資格も学校の先生も、結局は学ぶことって似たようなことじゃないですか。そういうなかでも（保育園などと比較して）児童養護施設っていうのは隠されてる。自分の中で（施設は）違うなっていうのをずっと思いながらも学校生活入ったんですけどね。（Jさん／31歳／男性）

その専門学校で、Jさんは後に結婚することになる女性と出会うのだが、その女性が持つ施設に対するイメージはテレビなどを通じてえられたマイナスのものだった。Jさんが実際に施設で働くようになったことにより、そうしたイメージは変わってきたというが、多くの人にとって施設のイメージは決してよいものではないという。

ただし、当事者自身も、入所前に施設に対する確固たるイメージを持っているわけではなく、いわゆる「障害者」のための養護施設と誤解することが往々にしてあるようだ。たとえば、高校1年生のときに施設に入所したHさん（24歳／女性）は、それまで施設のことをまったく知らず、「障害者」が入っている施設と勘違いしたという。マイノリティ問題は、それが問題だと周知されにくいことそのものが最も問題であると言っても過言ではないのだが、施設あるいは施設生活者／経験者[3]に関する問題も、それが知られていないなかで、さまざまな問題を当事者が抱え込まされていることに大きな問題がある。

田中（前掲）が分類するところの「憐憫」、すなわち「恵まれない子」「かわいそう」といった同情も、施設生活者に対する典型的なイメージである。当事者の施設経験の内実とは無関係に浴びせられる一方的なまなざしは、当事者にとって反発を感じさせるものとなっている。

「かわいそうやね、Hちゃんところは。親もおらんくて、しかも、施設に入って」みたいな。その「かわいそう」っていうのが、めっちゃイヤだったんですよ。かわいそうじゃないし、辛くもないし、逆に、楽しいって思ってる自分がいてるのに…。（Hさん／24歳／女性）

さらに、偏見にとどまらず、親がいないことで、実際に就職差別を受けた可能性に関する語りもみられるなど、田中（前掲）の分類による「排除」にあたる事例もみられる。

> そこの幼稚園は、私、一回就職の面接で行ってんけど、正味ほぼ受かる予定やってんけど、幼稚園の先生…。その仲良い先生から聞いた話やけど、何か親がおれへんから、たぶんそれで採ってくれへんかったんかもしれへんって…。（Gさん／21歳／女性）

3　カムアウトへのためらい

　隠され、時に同情され、あるいは偏見・差別の対象ともなりうる施設、施設生活者／経験者にとって、自らの社会的アイデンティティのひとつを構成する施設経験は、カムアウトをめぐる問題として立ちはだかる[4]。
　いわゆる「普通」の生活である一般家庭で育ったわけではなかったために、施設で生活している／いたことをカムアウトすることに抵抗があると語られることは多い。

> （高校でアルバイトを始めたとき）施設って隠してたんも悪いんですけど。【何か言われたりしたんですか？】いや、電話かかってきたりするじゃないですか。施設って言ってないから「はい○○（施設名）です」って言うのんとか、どう言い繕おうか。【でも履歴書いらなかったんですか？】履歴書いりますよ。【住所は？】でも、○○（施設名）なんて書かないじゃないですか。【住所まででとめとく。】そうですね、別に施設名書かなくても手紙届くじゃないですか。【では、やっぱりそこは伏せとく方が。】うーん。何かわかんないですけどね、高校のときまで自分が施設で生活するのを言うのをあんまり好きじゃなかったというか、イヤだったんです。（Cさん／22歳／女性）

学校の授業などで、親がいることを前提とした実践がなされることも、イヤな体験として語られている。

　家庭科の授業とかね、ひどいじゃないですか、あれは。中学校高校とずっとイヤだった。……（親が）おれへんことが何かおかしいみたいな感じになるというか、いて当たり前だから。それは結構しんどかったですね。（Cさん／22歳／女性）

　地元の小学校までは、施設生活者であることが「バレバレ」なうえ地域の学校に通うために安心感があるが、校区が広がり、他小学校区の施設のことを知らない子どもたちと生活することとなる中学校では、その心理的負担は増すことになる。

　（小学校のときは）皆知ってるんですよね。施設の子って。【中学校に入ると…】3つの小学校から来るんです。そのうち2つの小学校は全然施設のこと知らないし、あることも知らないので、何か隠すのが大変でしたね。【じゃあ小学校のときよりも居心地が悪い。】うん。私、中学校のとき消えたいと思って学校生活送ってたんです。しんどかったんでしょうね、たぶん。小学校のときはすごく体制が整ってて、「差別とかないんや」みたいな世界観だったのが、中学校になったら、全然施設のこと知らん子の方が大半だし、どう隠すかみたいな。（Cさん／22歳／女性）

　施設で生活する子どもだと知られることで、差別を受けるかもしれないという不安。時にはそれへの反発として、学校で問題を起こした経験も語られている。

　（中学校に入って）やっぱり最初はね、問題があったですね。僕、問題をよぉ起こしましたわ。【どんな？】暴力、ケンカとか。いじめとかもやりましたね。いろいろやりましたわ。とりあえず、何か、「なめられたら

アカン」って思ってたんで。だから暴力とか、よくやりましたね。もう、とりあえず、目についたら殴ってたとか。【学園から来ているからという意識はあったんですか？】結構ありましたね。それもあって、ケンカでもして、腕力でも見せつけとったら、なめられへん。（Mさん／21歳／男性）

　幸い、Mさんの場合は施設生活者であることを知られても差別的な扱いは受けなかったようだが、他の経験者からは、施設生活者／経験者であることによって陰口を叩かれたり、差別的な言動を実際に経験したことが語られている。
　Hさんは、高校のときに、施設で生活していることを陰で言いふらされたことがあるという。

高2で新しいクラスやから、そのときにできる友達もおるじゃないですか。そんでね、何かで、うちが言ったんですよね。その、新しくなった友達に、「私、施設に入ってて」みたいな。そしたらその子が、めっちゃ、陰で文句言う子やったんですよ。そのとき、私のことも言ってて、「何か、Hちゃん、施設に入っててね」みたいな。その子に、何で入ったかって言わなかったんですけど、「親が何か、両方悪くて、めっちゃ大変で」っていう意味わからんことを言ってるっていうことを、違う子から聞いたんですよ。それで、ちょっと怒ってしまって。言うのはかまわんのやけど、そこに入って辛いわけでもないし、しんどくもないし、逆に楽しいから、「もう言わんで」みたいな。（Hさん／24歳／女性）

　また、Lさんは、以前勤めていた会社で、施設経験者であるがために「教育」「教養」がない、仕事ができないなどと一方的に見なされた経験を持つ。

面接のときに社長さんに履歴書書くときに、（施設経験があることで）私は根性がありますと、負けん気もありますって言って、その意気込みを

買ってくれたから、たぶん社長さんは（社員の）皆に言ってるんやんか。で、お局さん（職場の上司）にな、「あなたは教育がなってへんから、それは過去のこともあるかもしれないけど、それは通じへんからね」みたいなことを怒られてるときに言われてん。教養もないし、マナーもなってないしって言われて、これ読みなさいって本を3冊もらってんけどな。百円のマナーの本。で、もうひとり職場の26歳の人にも、（施設経験があることを）言ったときに、めっちゃ「はぁっ？」みたいな顔してて。「あーしまった、言ってもうたぁ」と思ったのがある。見下しじゃないけど、「Lちゃんはあほやからな」ってよく言われるようになって、それから。仕事ができへんからやること遅いなーとか、そっから言われるようになってん。言った翌日から。それはちょっと腹立つ。もう言わんとこうって思ってる、職場の人とかは。よっぽどじゃない限り。（Lさん／23歳／女性）

4 カムアウトとその理由

とはいえ、施設で生活していること、あるいは経験者であることを隠さないという語りもみられる。その理由のひとつは、偏見のまなざしは感じているものの、隠すことによってさらにしんどくなるのではないかというものである。

けっこう皆、施設にいることとか隠したがるんですけど、僕、別にそんな気にしなくて、普通に言ってたし、高校でも言ってたし。逆に隠してたりしてたら（施設にいることを知られて、困ることも）あるかもしれないですけど。別に自分からすんなり言えたんで、施設に入ってるってことで困ったことは別にないですね。逆に隠してたら、自分的に気持ち的にも何か、まあネガティブになるというか。（Ｉさん／19歳／男性）

さらに、施設に入ってよかったという感覚や、施設での生活を相対的に高く評価していることも、カムアウトへの抵抗を除く要因になっている。たとえばそれは、施設生活を経験したことで不登校状態を脱することができたＩさん、両親を亡くすも、施設の関係者や社会資源を活用することで短大に進学することができたＢさん、信頼できる施設職員に支えられたＧさん、親からの虐待によってさまざまな葛藤を抑え込んでいたＨさんなどの経験に裏打ちされている。

　施設に入ってなかったら、絶対今は、学校行ってないのがずるずる続いてて、たぶん今でも人としゃべるのが苦手なままだったと思うし。将来、「大学とか行きたいな」とか、そういう自立への道みたいなのも、施設で築けたと思うんですよ。それを築けたのは、一番施設が大切だったと思うし。よく「施設入りたくても入れない人がいっぱいいる」って言うじゃないですか。「そんなんやったら、僕みたいなやつ入れずに他のやつ入れたらいいじゃないか」みたいなこと思ってたんですけど、今は僕を入れてくれて、「助かった、ありがたい」みたいな感じです。（Ｉさん／19歳／男性）

　聞かれれば答えるし。自分から「施設や施設や」言われへんけど、聞かれたり、どのへんに住んでたとか、施設やからあそこのところとか、普通に答える。私（施設に）入っててほんまによかった。だから短大まで行けたのもほんまにそんな感じ。私が今こんだけの人脈得てんのはそういうのがあったからやし、別にマイナスには何も考えてないんで、まったく。（Ｂさん／26歳／女性）

　もし聞かれたんなら、（施設に）いてたっていうのは、私は言える。そんなやましい気持ちとかそういうのはまったくないし。そこでいっぱい助けてもらって、今の私がいるんで。恥ずかしいことじゃないんで、全然言えます。自分の信頼できる先生に出会って……よく相談とか、話とか

も聞いてもらったりとか。こんなことあったとか、いろんな話できて……そういう人らと出会えたのはすごいよかったなーっていう……。だから、その先生らとかがいてなかったら、今のあたしはいてないなー、ぐらいの勢いで（笑）。だから、もしこのまんま普通に家にいてたら、たぶん私はちょっと道をはずれてたような気はせんでもなくて……。だからよく言われるのは、よくグレンとここまで育ったなっていうのは、言われる（笑）。でもそれは、まわりの人らがよかったおかげもあるし。すごい、感謝というか、よかったなっていう気持ちが、いっぱい。（Gさん／21歳／女性）

【施設自体の印象はどうでしたか？】もう感動、めっちゃ感動しました。普通のことなんかもわかんないですけど、皆が自分の話を聞いてくれるから。……今までそんなことなかったので。私だけ、毎日、園長室と事務所に毎日行ってました。誰か話聞いてくれて、誰かかまってくれるから。施設に入ってからかな、人を信じるのもいいなと思いました。それまで、まったく、何にも興味なかったんですけど、人とか。その施設に入ってからね、めっちゃ笑うようになったし、ワガママも言うし。……小っさいとき、そうでなかったから。今はワガママなんですよ（笑）。……○○先生なんか、「グレることなく、育ってよかったね」って、「ここに来てよかったね」って言ってくれます。そう、自分も「よかったな」って思います。うん。だから、人よりは、たぶん恵まれてるなと思います。（Hさん／24歳／女性）

ただし、ここで語られている施設の評価は、あくまでも施設入所以前の生活と比較しての相対的な側面が少なからず含まれていることに注意したい。親からの身体的な暴力・虐待、不安定な家族関係・貧困など、施設入所以前の生活が相当困難であった、比較的年齢が高い段階で施設に入所した人々にとって、避難所として、あるいは生活の場としての施設は、以前の生活と比較して相対的に高く評価されることになる。そのことが施設経験者としての

否定的でないアイデンティティをもたらしているのだと考えられる。

　逆に、施設に対して否定的な印象を抱く傾向にあるのが、幼少期からの施設入所者である。その場合、比較対象となるのは学校などで出会う一般家庭で生活する子どもたちであり、それらと比較して、相対的に困難な生活を送っている自分自身をマイナスにとらえてしまう。2章で示されたように、一般家庭と比較して相対的に自由が少なく、生活面では集団生活が優先され、職員との関係や子ども同士のトラブルがあるなどの困難に加え、4章・5章で示されたように、進学・就職先の制限など、さまざまな制約があることは否めない。さらに、先に述べた比較的年齢が高い段階で施設に入所した人々にとっても、その評価はあくまでもそれ以前の生活と比較しての相対的評価であって、皆が施設での生活すべてを肯定的に評価しているわけではない。施設にいる自身に対する肯定的なアイデンティティ形成のためには、家庭での養育以上に社会的養護を充実したものにするか、家庭での養育を〈正常〉なものとして考える価値観を相対化する経験や働きかけが必要となるだろう。

5　社会的立場の自覚と自己了解の物語

　近年のモダニティをめぐる議論において、「自己アイデンティティは、生活史という観点から自分自身によって再帰的に理解された自己」（Giddens, 1991=2005：57）であり、「変容する自己は個人的変化と社会的変化とを結びつける再帰的な過程の一部分として模索され構築される」（Giddens, 前掲：36）ことが強調されている。さらに、自己をめぐる物語論的アプローチからは、「自己は、自分自身について物語ることを通して生み出される」（浅野, 2001：4）とされる。

　本調査からも、施設で生活する自分自身を肯定的に受け容れるためには、何らかの理由で家族と別離して生活することを自覚し、そうした自分を自己了解するための物語を形成することの重要性が浮かび上がってきた。

　Jさんは高校時代に同和教育に熱心に取り組む教員と出会ったことで、自

分の生活をふりかえることができた経験を持ち、そのことを契機として現在は施設職員となっている[5]。Ｊさんは、「施設出身で胸を張って生きる」、言い換えれば、肯定的なアイデンティティを形成するために何が必要なのかについて、以下のように述べる。

> 施設出身で胸を張って生きるということはどういうことなのかなぁって考えたことがありまして。隠そうと思えば隠せるし。施設っていろいろこう手厚くされてる気がするんですよね。入ってること自体がマイナスなんですけど、普通にはないところで、こう、普通一般家庭よりものすごく守られてる世界だと思うんですよね。で、守られてる子たちがですよ、外に出たとき、（差別によって）ひとりになったとき絶対押しつぶされると思うんですよね。で、胸を張って生きるということは、押しつぶされないように何が大事なのかっていうことは、原点である、入った理由だと思うんですよね。だから、いい意味でも悪い意味でも家庭に返る。なぜここに入れなきゃいけなかったという親の気持ちを考えたりとか。……今いる子どもたちに入所理由を教えるっていうことは、タブーじゃないけど、何か言ったらいけないみたいな雰囲気はありますよね。それよりか自分はこう、問い詰めて勝負するのが大事なのかなっていう。いい意味でも悪い意味でも、親のことをやっぱ考えて生きていってほしいっていうのが。それが、損した生活じゃなくていい経験ができたっていう人にない経験ができたんだから人より大きい人間になれるんだぞ、っていう自信につながっていってほしいと思うんですよね。胸を張って生きていくということは、自分の中ではそうなのかなって。（Ｊさん／31歳／男性）

　ここで述べられているのは、なぜ親が自身を施設に入所させるという選択をしたのか、その社会的な背景を理解することの重要性であり、そうした親の立場を理解することが、施設の経験を含めた自身の社会的立場の自覚にもつながるということである。それができたときに「胸を張って生きられる」

のではないかと⁽⁶⁾。

　Jさんの指摘は、若干文脈が異なるが、里親家庭などで行われてきた「真実告知」と重なるものである。真実告知は、里親・養親家庭で育つ子どもに対して、里子や養子であることを告げることである。米沢普子（2007）は、養子であることはいつかわかることであり、隠し続けることは不可能であることから、あまり子どもが大きくならないうちに真実告知を行う方が望ましいとする。それは、「子どもたちが自分の生い立ちを受け入れ、子ども自身が自分を肯定できることが、自己のアイデンティティを形成するのに欠かせない」（家庭養護促進協会，2004：114）という認識と、「子どもが生い立ちも含めてありのままの自分を受け入れること」（家庭養護促進協会編，2007：7）を願ってである⁽⁷⁾。

　とすれば、これらの指摘は里親・養親家庭で育つ子どもだけでなく、施設で育つ子どもにも同様に必要なプロセスなのではなかろうか。自身が親元で暮らさない／暮らせないことを、社会的な背景を含めて納得していく、そして自らの立場を了解する物語を構築していくプロセスが、施設生活者／経験者にとって特に重要となるように思われる⁽⁸⁾。そして実際に近年では、児童養護施設の子どもたちを対象にした「ライフストーリーワーク」の取り組みが注目されつつある（楢原，2009；才村，2009）。

　と同時に、施設で生活している／したことが社会的アイデンティティとなる以上、施設とは何か、社会的養護とは何か、福祉とは何か、といった疑問に向きあい、それへの理解を促進することも必要であろう。Cさんは、大学で福祉を専攻した経緯を以下のように述べる。

　【（大学で）福祉（専攻）に行ったんは？】自分が生活してきたのが施設で、やっぱり福祉制度のなかの施設であって、施設の意味とかね、すごくいろいろイヤでも考えてたときですよね。もう第二反抗期になる前くらいで、施設に従順だったんですよ。すごい、施設からしたらね、何ていい子なんだっていうぐらい。でも何か、いやおかしいぞ、と。（施設を）高校3年生で出て、初めて客観的に施設とかをみてみたら、あんとき、

おかしかったんちゃうかとか。何でこんなんあったんやろ、みたいなことを考えるようになっていて。もっとこう、いろんなこと知りたいなぁって思ったり、福祉って何やろって、思ったりして、それで。（Cさん／22歳／女性）

　逆に言えば、この事例は、社会福祉・社会的養護・施設に対する施設生活者の疑問に、施設内部では答えられていないことを示している。自らが生活する／した施設の意義や役割を理解すること、さらには児童養護施設をめぐるさまざまな問題点や、それらが引き起こされる要因を社会的に位置づけることも、自己を肯定的にとらえなおすプロセスには欠かせないものとなるのではなかろうか[8]。
　では、そのような社会的立場の自覚や、自己了解の物語はどのようにして導かれるのだろうか。ここで参考となるのが、社会的構成としての「ナラティブ・セラピー」の視点である。ホワイトとエプストン（1990=1992）は、ナラティブ（物語）の変化を起こすための方法として、問題を個人の内部にあるとは考えない「問題の外在化」と、さまざまな行為の可能性を開くために多様な選択肢を生み出す「多声性」をあげている。こうした物語構築の手助けとなるのは、上述した親身になってくれる施設職員、施設生活／経験を肯定的に受け入れてくれる他者の存在や、他の施設生活者／経験者との交流である。Cさんは、そうした経験を以下のように意味づけている。

何か昔よりすごい楽になったなって思いますね。自分がしんどくなくなってきたし、うまい具合に自分を守れるようになったとか。それはすごく感じる。やっぱり小学校、中学校、最もしんどかったんちゃうかな、って。（他の施設生活者／経験者との交流があった）高校以降いろんな人と出会えて、いろんな話とか生き方聞いたりしたし。施設で生活してる子って、「何で、自分はここにいないといけないんだろう」とか、出てからも「何で、自分だけこんなしんどい思いしないといけないんだろう」ってなったときに、怒りとか思いをぶつけるところがなかったりと

か。「しょうがない、もう、しょうがないやん」と、あきらめてしまうことがすごく多かったし、それは結構どの子も持ってるんじゃないかなぁと思うんですけど。「そこは怒っていいで」、とか、「そんな大変な思いしたんや」って言ってくれる人がね、出会いのなかで出てきたのがおっきかった。エンパワメントですね。自分を出せるようになったし、「施設で生活してることが恥ずかしいことでも何でもないんやよ」っていうメッセージを伝えてくれる人がいたから、今の自分があるんやなぁと思います。親身に児童養護について考えてくれる人と出会ったときに元気もらったりとかしますね。（Ｃさん／22歳／女性）

7章で詳述するが、こうしたエンパワメントの経験をもたらすためには施設間交流をはじめ、施設で生活している（いた）子ども・若者たちの当事者・支援者団体による交流の促進が求められる。そこでは、困難とその克服方法を共有できるような、当事者ならではの自己了解の物語が生み出される可能性がある。

おわりに

本章は、カムアウトをめぐる施設生活者／経験者のアイデンティティ問題に焦点を当てて分析を行うとともに、自己了解の物語を形成するためのプロセス・方法について提言を行った。最後に、残された課題について指摘しておきたい。

施設生活者／経験者が自らの置かれた社会的立場を自覚し、自己了解の物語を形成するためには、彼／彼女らの物語構築の努力を指摘する前に、前提として社会的養護が「社会的」に必要な営みであり、決して施設生活者／経験者自身にさまざまな問題の責任が帰せられるべきではないということの啓発が必要である。すなわち、施設、施設生活者／経験者に対するまなざしを変化させることが不可欠であろう。しかし、福祉の領域において、社会的養

護の充実については議論が行われているが、社会的養護に関する啓発をどのように進めていくのかについては、大きな検討課題としてはあげられていない（たとえば、社会保障審議会児童部会社会的養護専門委員会，2007）。施設が養護学校と同列に認識されることが多いように、多くの市民にとって、社会的養護に関する認識は決定的に欠けていると言わざるを得ない。家庭養護を困難たらしめる「子どもの貧困」（山野，2008など）が広がりつつあるなかで、学校教育・社会教育領域との連携も含め、社会的養護の必要性とその理解を進めることが求められる。

　また、本章では施設入所以前の生活と比較して、相対的に入所後の生活を肯定的に意味づけていることが、肯定的な社会的アイデンティティにつながっていることを指摘したが、生育困難な家族と生活するよりも施設に措置される方が「まし」としてすまされるべきではないことも指摘しておかなければならない。本調査の対象となったのは、施設経験者であることをある程度自己了解している人々であるからこそ聞き取りが可能となったのであり、他方で施設内暴力・いじめ・生活全体への統制など、施設経験が劣悪であったという印象しかない施設経験者にとっては、その経験は忘れてしまいたいものになっていることは想像に難くない。こうした施設のマイナス面を克服することがなければ、肯定的なアイデンティティ形成は極めて難しいままであろう。家庭的背景が困難な状況にあるからこそ措置された子どもたちにとって、せめてアイデンティティの拠り所となるような施設経験を用意することが、社会的に求められるのではなかろうか。さらに、家族という資源を活用しにくい彼／彼女らにとって、施設での厳しい経験のためにそれとの関係を絶つことは、ただでさえ活用しにくい社会関係資本を断つことにもなるのである。

　さらに、肯定的な物語の構築には、さまざまな困難があることも事実である。施設生活者自身は子どもであるがゆえに「政治権力や経済力の中心から遠く隔絶され、みずからの取り扱われ方に実質上何の意見表明も行えない」（Goodman, 前掲：32）状況に置かれていることが多い。加えて田中（前掲）が指摘したように、大人になれば親がいないことは誰にとっても「普通」の経験となることから、施設生活者のスティグマは時が経てば経つほど軽微にな

ることが予期される。しかも、施設には一般的に18歳までしか措置されないため、退所後は施設生活者としての困難は解消されるという特徴をもつ。そのため、施設経験者は施設で生活していたことを隠すといったように、個人でアイデンティティ管理を行うことを優先し、施設生活者のスティグマを克服するための行動には移しづらい状況がある。

 ただしそこでは、就職差別・結婚差別をはじめ、退所後の施設経験者としてのさまざまな困難が残されている。市川（2006）をみる限り、当事者をカテゴリー化する名乗りは確固たるものがないようだが、名乗りは肯定的なアイデンティティを構築するための重要な役割を果たす。本章の分析において仮に用いた「施設経験者」ということばであるが、こうしたカテゴリー化によって当事者の名乗りが可能になるのだとすれば、そこから新たな物語が生まれるかもしれない。

注

（1）ただし市川は、これらの作文集の編集意図が子どもの人権を守る集会の資料提供であること、施設入所に至る社会的背景・課題を社会に訴えることを意図していたため、作文集においては「③施設生活上の苦痛」すなわち、子ども同士のいじめ、暴力、職員による体罰等に関するものがほとんど見られないという限界も指摘している。
（2）ほかにも、施設が新たな場所に設置される場合、地元住民の反対が起こることなどがその例としてあげられている。
（3）児童養護施設入所者数は、同年代の人口比にして1000人あたり1～2人程度にすぎない。5章5節参照。
（4）大阪市児童福祉施設連盟養護部会処遇指標研究会（1998）は、1997年4月から5月にかけて、大阪市内の児童福祉施設で暮らす小学校4年生以上のすべての子ども・若者を対象に質問紙調査を実施している。また、およそ10年後にも同様の調査（大阪市児童福祉施設連盟養育指標研究会，2010）を実施している。1997年の調査によれば、施設生活を学校の友達に話す機会について、「よく話す」割合は21.0%にすぎない（ほか、「少し話す」23.9%、「あまり話さない」21.4%、「ほとんど話さない」32.8%）。2008年の調査ではその割合は29.8%（ほか、「少し話す」24.0%、「あまり話さない」21.6%、「ほとんど話さない」22.1%）と増加しているものの、3割程度である。
（5）部落解放教育運動においては、被差別部落の子どもたちに「社会的立場」を自覚することを求めた。すなわち、自らが差別を自覚し、差別と闘うこと、そうした過程を通じて自らの肯定的なアイデンティティを形成することが目指されたのである。そして、

当事者運動としての部落解放運動によるこれらの取り組みは、差別の原因は部落民自身にあるのではなく、社会がつくり出したものであり、差別する側が悪いという「問題の外在化」のメッセージを発し続けてきた。Jさんが受けた同和教育の背景にはこうした教育運動の営みがある。部落解放教育運動における「社会的立場の自覚」の内実については内田龍史（2010）などを参照。
（6）たとえばKさんは、自分のケース記録のファイルに自分の名字とは異なる名字が書かれていることを、あるとき発見した。その理由を施設職員に尋ねても、何度聞いても答えてもらえなかったばかりか、「見なくていい」「知らん」と怒られたりしたという。「事情を言ってほしかった。子どもが聞いてきたときには、そのときの状況によって、それとなく伝えてほしい……。」（Kさん／31歳／女性）
（7）養子の出自を知る権利の重要性とそうした機会を保障するための議論については森和子（2006）を参照。
（8）こうした自己に対する肯定的な物語構築は、施設生活者／経験者だけに必要というわけではなく、すべての人にとって重要である。ここで「特に」の意味するところは、社会からの否定的な評価のなかでは、自己に対する肯定的な物語をつくる努力をより厳しく強いられるという意味である。
（9）同和教育実践を継承してきた教員により、すでにこのような実践が取り組まれている学校もある。西田芳正（2008）ならびに3章を参照。

第7章

児童養護施設生活者／経験者の当事者活動への期待と現実

内田龍史

　近年、相談活動、サロン活動といった居場所づくりや、社会的養護に関する情報発信などを行う児童養護施設経験者を中心とする当事者活動が広がりをみせている。本章ではこうした当事者活動をセルフヘルプ・グループ（SHGs）として位置づけ、考察を行っている。

　児童養護施設生活者／経験者が当事者活動を行うにはさまざまな困難がある。児童養護施設生活者はあくまでも子どもであり、当事者の立場でSHGsを立ち上げ、主体的に活動を行うことは、特に貧弱な児童福祉制度の状況もあって困難である。また、施設を退所した児童養護施設経験者の活動においても、施設を出ると施設生活者としてのスティグマは薄れるうえに、施設経験者のありようは一様ではないために結集軸たる「われわれ意識」も見出しにくい。

　とはいえ、さまざまに不利な立場に置かれている当事者にとって、特に肯定的なアイデンティティの再構築や新たな自己肯定の物語の獲得などにおいて、当事者活動は非常に重要な機能を果たすと考えられる。と同時に、児童養護施設生活者／経験者が置かれている問題状況について、その解決の責任を当事者や当事者活動のみに押しつけるのではなく、望ましい社会を構築することはいかにして可能となるのかも問われねばならない。児童養護施設生活者／経験者をとりまく経済的・政治的・社会的・文化的な問題解決のための取り組みの主体となりうるのは、必ずしも当事者や当事者団体だけではないはずである。

はじめに

　6章では、児童養護施設経験者に対するインタビュー調査から、自己の物語の再構築の必要性と、そのための当事者による活動の重要性を指摘した。近年、日本社会においても徐々に当事者活動が広がりつつあり、それらの活動への期待も高まっているが、他方で児童養護施設生活者／経験者[1]が置かれている状況特有のさまざまな課題がある。
　本章では、セルフヘルプ・グループとしての児童養護施設生活者／経験者の当事者活動の意義を明らかにしたうえで、児童養護施設生活者／児童養護施設経験者それぞれの当事者活動を困難にする要因を整理し、今後の活動の展望を拓く手がかりとしたい。

1　当事者活動の広がり・期待・意義

1-1　児童養護施設生活／経験者の当事者活動の広がり

　近年、相談活動、サロン活動といった居場所づくりや、社会的養護に関する情報発信などを行う児童養護施設経験者を中心とする当事者活動が広がりをみせている。以下、NPO法人社会的養護の当事者参加推進団体日向ぼっこ編著（2009）やそれぞれの団体のホームページの情報などをもとに、簡単にそれらの活動を紹介しておこう。
　日本において、児童養護施設生活者／経験者の当事者が参加する活動として最も長い歴史があるのは「CVV（Children's Views & Voice）」である。「CVV」は、大阪の児童養護施設の子どもたちが、カナダの当事者組織であるPape Adolescent Resource Centre（PARC）を訪れたことによって刺激を受け、2001年に同様の活動を目指して発足した。主に、児童養護施設生活者／経験者が安心でき、人とのつながりを実感し、エンパワメントされる居場所づくりなどの活動を行っている。

「社会的養護の当事者参加推進団体日向ぼっこ」は、児童養護施設経験者を中心に2006年3月に結成された。社会的養護のもとで生活していた人たちの孤立防止やエンパワメント、当事者の声を集め援助者・行政・市民に発信していく取り組みを行っている。子どもの養育者に対しては『社会的養護で生活した私たちが考えるケアに関するハンドブック』、社会的養護を経験した人々に対しては『日向ぼっこハンドブック』を発刊するなど、いずれも当事者の経験をもとにした情報発信活動を行っている。

「社会的養護の当事者参加民間グループこもれび」は、千葉の児童養護施設で暮らした経験を持つ女性が、友人とふたりで2008年6月に立ち上げたグループである。「児童養護施設」を多くの人に知ってもらう活動を行うとともに、児童福祉施設を退所した人たちの孤立防止や仲間づくり、居場所づくりを目標としており、交流会や講演会などを実施している。

「なごやかサポートみらい」は、愛知の児童養護施設で生活した後、現在児童養護施設職員として働いている男性により2008年9月に発足した。サロン・学習会・施設訪問などを実施し、児童養護施設生活者／経験者や里親のもとで育った人たちの居場所になるような活動を行っている。

「地域生活支援事業ひだまり」は、児童養護施設「鳥取こども学園」の事業のひとつとして、2008年10月から厚生労働省のモデル事業（「地域生活・自立支援事業」）を開始し、退所者に対するサポートを含め、退所者が集えるサロンを開設している。2010年4月には「ひだまり」の活動から、当事者団体としての「レインボーズ」が発足した。

表1　児童養護施設生活者／経験者の当事者活動団体

団体名	場所	発足年
CVV（Children's Views & Voice）	大阪	2001
社会的養護の当事者参加推進団体日向ぼっこ	東京	2006
社会的養護の当事者参加民間グループこもれび	千葉	2008
社会的養護の当事者推進団体なごやかサポートみらい	愛知	2008
地域生活支援事業ひだまり　→　レインボーズ	鳥取	2008→2010
だいじ家	栃木	2010

これらの団体による活動は、その目的や規模、参加者層などが異なるものの、2009年2月15日にザ・ボディショップの助成金により、CVVが主催する「みんなの会」にそれぞれの当事者団体を招くことが可能となり、はじめて一堂に会した交流が行われた。また、翌16日には、大阪弁護士会館にて「社会的養護の当事者の声を聴く―東京・大阪の当事者団体の取り組みから」（大阪弁護士会子どもの権利委員会主催）が開催され、活動報告や今後の当事者活動のあり方などについて特別講演が行われた。これらを起点として、団体としての交流が図られており、ゆるやかなネットワークが構築されてきた。
　その後、2010年1月に栃木の社会的養護の当事者自助グループ「だいじ家」が発足し、2010年4月にはこれら6つのグループと朝日新聞厚生文化事業団により、社会的養護の当事者グループ全国ネットワーク「こどもっと」が結成された。「こどもっと」は、全国の社会的養護の当事者グループの連携を通して、当事者が元気になり、①それぞれのグループの活動をさらに活性化させる、②他のグループの活動への理解を深め、助け合う、③当事者にとって望ましい援助、制度を考え、多くの人に知ってもらうことを目的に活動を展開しはじめている（朝日新聞厚生文化事業団，2010）。

1-2　当事者活動への期待

　これら当事者団体による活動にはさまざまな期待が寄せられている。
　たとえば津崎哲雄（2009a）は、大人を対象とした他の福祉サービスは、利用者による評価によって施策や実務の改善がもたらされているが、「保護者の代弁機能がほぼ見込めない社会的養護は、サービス提供者側の都合や既得権益に基づいて『現実』が構築されて」いることを鋭く批判している。津崎は、「社会的養護当事者活動という場合、その主体である当事者には措置児童、措置経験者（care leavers）、保護者が想定できよう」、しかし、施設に措置せざるを得ない状況にある保護者が活動に携わることは難しいことから、「主体となりうるのは前二者である」（津崎，前掲：162）とし、イギリスでの事例を参照しながら当事者活動への期待を以下のように述べる。

社会的養護の当事者活動が英国で始まった時は、措置児童自身の意見表明権行使としてのサービス評価活動「養護児童の声」(が主体となったの—引用者注)であり、それを契機に措置経験者仲間の自助活動を経て、自分たちと仲間及び後輩措置児童のエンパワーメントと施策実務改善を目指す「意見表明と参加を中核とする当事者活動」として全国的に浸透した。
　日本では全国児童養護施設高校生交流会が「養護児童の声」的実践として1980年代末に開始されたが、途中で主催者となった施設経営者組織が90年代半ばに解体してしまった。この種の活動でエンパワーメント機能が発揮されると自らの既得権益を侵すことにつながると気づいたからである。(略)こうした施設経営組織の事業経営上のエートス(倫理的雰囲気)が本邦社会的養護の最大特質であることは肝に銘じておきたい。こうして当事者活動の潜在的可能性は、日向ぼっこのような覚醒した措置経験者の当事者活動に託されることになった。(津崎，前掲：163)

　かの国(イギリス—引用者注)でそうしたシステムが整備される長い道のりには、当事者活動の足跡がはっきりと刻まれている。日向ぼっこなど、この国にやっと起こった社会的養護の当事者活動の今後に筆者が期待せざるを得ないゆえんである。(津崎，前掲：168)

　津崎が指摘するように、社会的養護サービスの向上のためには、その利用者である児童養護施設生活者や、施設経験者の「声」が反映される必要がある。そうでなければ、すでにこれまでの章で繰り返し指摘されてきたような、児童養護施設生活者／経験者が抱え込まされる困難を取り除くことは難しい。当事者活動が活発となり、そこで発せられた「声」が社会的養護に直接携わる人々のみならず、社会的に幅広く受け止められることによって、社会的養護に関する制度の変革につながっていくことが求められる。

1-3　セルフヘルプ・グループによる活動の意義

　ところで、これらの当事者活動は、現状変革のための政策提言的な活動のみならず、セルフヘルプ・グループとしての機能を有しているといえよう。ここで、児童養護施設生活者／経験者の当事者活動の文脈から離れて、一般的に指摘されているセルフヘルプ・グループの重要性について、整理しておきたい。セルフヘルプ・グループ（以下、SHGsと略）に関する研究レビューを行っている三島一郎（2007）は、SHGsについて以下のように定義している。

　　ある共通の問題に見舞われた個人が（あるいはその家族が）、自分ひとりだけでは解決できそうにないその自分自身の抱える問題の解決、あるいは、その問題と共に生きていく力を得ていくために、自発的かつ意図的に組織化したグループである（三島, 1997）。
　　このグループは、たとえ協力関係はあっても、専門職からは独立し、自主的・自立的に運営され、持続的に定期的活動を行っている。SHGsは安定した永続的なコミュニティの機能をもつ一つのシステムであり、それへの参加を通じて、個人は、自己のシステムに変化を生じさせる。それは、認知・情動・行動の各方面で相互促進的に生じ、それまでマイナスイメージでしか見ることのできなかった自己像が解体し、問題や問題を抱えた自己像の新たな見方の獲得（自己の解放と自己の回復）と、その新たな自己像を支えるイデオロギーの普及や、それを通じてのさまざまなかたちやレベルでの社会変革を促す動きへと連なっていく。それは、まさにメンバーが、SHGsへの参加を通じて力を得ていく過程であり、さらには、サービスのあり方やその位置づけを変えたり、新たなパラダイムや社会を創造していくための大きな可能性を含んだ力強い歩みである。（三島, 2007：218）

　そして、SHGsは、「参加してくるメンバーの『体験的知識』に基づいた、問題への個別的対応に力を発揮してきた」（三島, 前掲：231）ことに大きな特徴

があるとしている。

　6章でみたように、無理解・偏見・差別などによって否定的な自己像を余儀なくされることがある児童養護施設生活者／経験者にとっては、アイデンティティの再構築を可能にする新たな自己像をどのように獲得できるのか、また、そこで獲得される肯定的なアイデンティティを支えるイデオロギーや物語をいかにして形成し、普及していくことができるのかがきわめて大きな課題となる。当事者活動は、そうしたプロセスを可能とする機能をもつのである。

2　施設生活者による当事者活動の困難
——全国児童養護施設高校生交流会の経験

　三島（前掲）によるSHGsの整理のように、当事者活動に社会変革につながる社会運動としての期待をかけることもあるが、社会的養護を取り巻く制度変革を目指すための運動にはそれ特有の困難がある。施設生活者特有の困難としては、まずもって、子どもであることがあげられる。経験が浅く、知識も少ない社会的養護のもとにある中学生以前において、当事者の立場でSHGsを立ち上げ、主体性をもって独自に活動を運営することはきわめて難しいだろう。施設内においても主体性を育むさまざまな取り組みは可能だが、現実的かつ主体的にセルフヘルプ活動が可能となり得るのは、施設生活者のなかでも義務教育を終えた高校生以上[2]、そして施設を退所した施設経験者が想定される。

　本節では、その前者、高校生がSHGsとしての活動を行うことの困難を、ひとつの事例から検討してみたい。それは、1988年から実践されてきた「全国養護施設高校生交流会」（以下、高校生交流会と略）の試みである。以下では、高校生交流会の成立と展開、さらにはその挫折経験を追うことによって、その困難の内実を明らかにしたい。

2-1 全国養護施設高校生交流会の成立過程

　上述した問題関心にもとづき、筆者らは、高校生交流会の成立過程を知るために、高校生交流会の発起人となった鳥取こども学園園長、藤野興一（敬称略）にインタビューした[3]。以下、藤野の語りをもとに、藤野（1991、出版年不明）、津崎（1991=2009b）、師康晴（2006）、木下茂幸（2007）などを参考にして、高校生交流会の成立と展開ならびに挫折経験をまとめておく。

　藤野によれば、高校生交流会が成立する背景には、児童養護施設生活者の高校進学問題があった。一般的に高校進学率が高まるなかで、1973年に措置費の中に高校に進学する児童のための「特別育成費」が算入されたが、高校進学率が全国では90％を突破するかしないかのときに、児童養護施設では20％前後にとどまっていた[4]。また、当時の特別育成費の成績要綱には、子どもが成績優秀品行方正であれば県立高校に限って行かせるとあり、さらに、実業高校が望ましいとまで書いてあった。実際には児童相談所が認める子どもしか進学できない現状があり、また、高校に進学できるのは親がいる子どもだけで、親がいない子どもはすべて中卒就職だった。中卒で施設を離れざるを得ない子どもほど困難な状況に置かれていることが多いにもかかわらず、高校に進学しない限り施設に留まることができないという矛盾があったため、何としても高校には行かせたいという想いから、1978年以降、「18歳までの養護保障」をスローガンに鳥取県内の児童養護施設全体で高校全入運動を始めた。また、施設内でも高校生の会をつくり、施設生活の当事者たる高校生の本音に耳を傾け、高校生自身で暴力をなくすなど、施設を変えはじめた[5]。

　1980年代の後半に北海道を訪れたとき、美深育成園園長の木下茂幸と出会い、高校全入を唱えたところ、木下も共感し、美深育成園内で高校生部会が組織され、高校生の自主的な活動を支援した。両園ともに小舎制の施設運営であることもあって、まずは職員の交流を始め、それをきっかけに高校生の交流が、さらにその延長線上で全国高校生交流会が開催されることになった。

　第1回高校生交流会は、養育研究所（美深育成園）と鳥取養育研究会による共催、鳥取県と鳥取県養護施設協議会後援で、1988年8月22日から3泊4日

の日程で、鳥取砂丘こどもの国で開催された。その目的は、「養護施設で生活する高校生の交流会をもち、施設生活、学校生活、社会生活の自立に向かっての課題を語り合い、共に悩み、共に解決を目指していく仲間として、共感と連帯感を培うこと」(師, 2006：111) であった。当初は木下園長と藤野園長の私的な取り組みであったこともあり、8都道府県12施設から25名の高校生と、15名の職員の参加というささやかな会だった。高校生は6〜7名の小グループに分かれ、職員はあくまでも高校生の自律性と主体性を信頼し、ノンディレクティブ（非指導的）なカウンセリングの手法でアシスタントに徹した。3回の分散会、3回の全体会、海水浴、市内観光等のプログラムを通じて、高校生が主体的に自分の立場について議論し、アシスタントとして施設の職員がそれを見守った。

そのなかで、施設生活の問題点、社会的自立への不安、「施設でいるのが恥ずかしい」という全体会での発言があり、それは差別ではないかと問題提起された。すなわち、施設生活者に「施設でいるのが恥ずかしい」と言わしめないためには、施設内部の状況と施設を取り巻く差別的な現状を変えなければならない。その担い手となるのは高校生と施設職員だという想いを強くし、施設生活の主体者は子どもたち自身であることが再認識されることとなった。

以上が第1回高校生交流会が立ち上がるまでの経緯である。以降、第2回美深大会（1989年）は全国高校生会議準備委員会（仮称）主催・社会福祉法人全国社会福祉協議会全国児童養護施設協議会（全養協）の後援で開催され、参加者が拡大する。第3回京都大会（1990年）は前年に「子どもの権利条約」が国連で採択されたこともあって、私的な大会ではなく全養協が主催する「全国養護施設高校生交流会京都大会」となった。

2-2　高校生交流会の意義

藤野らが意図したのは、高校生を楽しませるための単なるイベントを開催することではなく、日本の養護施設総体の自己点検をし、自己改革を進め、レベルアップをはかるひとつの運動であった。次の二文は、前者は高校生に

対して、後者は職員に対して、藤野が全国高校生交流会に期待したことのエッセンスが込められている。

> 高校生の中には、現在の生活に対する不満や将来の生活に対する不安が渦巻いています。しかし、そうしたことは表現したり話し合ったりする機会がなければ、なんとなく「嫌な気分」にとどまってしまいます。(略)不満や不安は、客観化され、認識する必要があるのです。そのためには、それらが単なる個人的問題、自分だけの問題として感じられるのではなく、自分達の問題、社会的な問題として理解される必要があります。特定の地域を越えた全国的集まりだからこそそのことが可能なのです。(藤野，1991：146)

> 施設で生活する当事者たる子供達の声に共感し、子供達自身及び職員集団自身の主体形成をはかり、ともすると大人の一人よがりの管理主義に陥っている施設生活において、施設生活の当事者たる子供達に正当な位置を与え、子供達が施設生活の主体として登場することが必要であり、子供達と共に自己変革していくことが問われているのです。(藤野，前掲：146)

このように、高校生にとっては自己決定する能力を鍛え、自らを取り巻く問題と向き合い、さらには当事者同士の交流によって、不満や不安の克服に向けた肯定的なアイデンティティ形成の場となっていた。さらに、職員にとっては職員が自分自身や施設のあり方をふりかえり、施設を変えるための運動の場でもあったのである。

2-3 「子どもの権利条約」と虐待の訴え

しかし、前節で述べたような目的的な営みであった高校生交流会は、ひとつの事件をきっかけに大きく様変わりすることになる。ここでの経緯を、師(2006)をもとに以下にまとめておこう。

そのきっかけとは、第7回高校生交流会福岡大会（1994年）後に明らかになった、福岡育児院での職員から子どもたちへの体罰事件である。

「『帰る家もなくて…』　福岡育児院体罰事件」（西日本新聞1995年5月31日）
「体罰で受けた傷を、布団の中で涙を流しながら冷やした。我慢するだけでつらかった」「トイレの中だけが安心できた」。体罰を受けた生徒らは、施設の中で受けた体と心の痛みを語った。
　見かねて体罰を止めようとした職員は、最終的に施設を辞めざるを得ない状況に追い込まれ、生徒たちの痛みを理解する職員はほとんどいなくなった。福岡市も昨年、内部告発を受けて調査したが、何もつかめず形だけに終わった。生徒たちはひたすら耐え続けた。
　体罰を行った指導者の一人は「何度口で言っても聞かないので、つい手が出た。間違ったやり方だとは思わない」と言い切る。非行の事実があったとしても、ハンマーやバットまで使って長期間繰り返される体罰は「指導」の域をはるかに超えていた。
　閉そく状況を打ち破るきっかけになったのが「子どもの権利に関する条約」をテーマに昨年夏、北九州市で開かれた養護施設入所者の「全国高校生交流会」。参加した同育児院の生徒たちは、全国の施設入所者から報告される体罰の多さに驚く一方で「自分たちが受けている指導は明らかにおかしいと思った」。
　交流会後、生徒たちは体罰をなくすために立ち上がろうと決意。以降、入所中の仲間に訴え、人権について真剣に考え出した。同時に外部にも実態を分かってもらう努力を始めていた。

　この新聞記事は、高校生交流会に参加していた子どもが、子どもの権利条約の学習によって自らの権利を学び、自身が措置されている施設の問題点を施設職員とともに新聞社に訴えた結果として書かれたものである。
　第4回岐阜大会（1991年）から参加し、子どもが主体となって現状の変革可能性を開く高校生交流会の意義を感じていた師は、「高校生が新聞社に自

分の施設のことを訴えたのは、交流会のひとつの『成果』であると判断した」（師，前掲：133）という。しかし、全国の養護施設長たちの認識はそうしたものではなかった。

　94年10月の北海道で行なわれた全国養護施設長研修会の席上「言葉で分からぬ子には"愛のむち"が必要」という体罰容認論が出たとき、施設長の間から少なくない拍手が起こったという。また「子どもの権利条約」など問題にすべきではないという施設長の意見もあり、物議を醸したという。
　西日本新聞の緊急報告「育児院体罰（下）」によると、福岡県養護施設協議会の西田会長の談話が「施設にはそれぞれ理念があり、その独自性は尊重されるべきだ。子供との接し方について外からあれこれ口を挟むことはない」というかたちで紹介されている。
　この三つの例は体罰容認、「子どもの権利条約」の無視、法人や施設の治外法権を意味している。児童福祉施設が狭量な大人の考えに基づく施設となっているということである。（師，前掲：134）

高校生交流会は「施設でいるのが恥ずかしい」という高校生の全体会での発言を含めて出発し、子どもを主体とする施設の変革に向けた場となっていた。しかし結局、第8回大会は全養協の組織決定で中止され、1年後にあらためて開催された第8回大会は実行委員が入れ替わり、藤野曰く「遊びだけの場に」、師曰く「単なる交流の場になった」（師，前掲：112）のである。

2-4　施設生活者による当事者活動の困難

　こうした経緯から学ぶことは多くあるが、最大の問題は、児童養護施設に対する制度的な支援の不十分さである。施設職員の人員不足は常々指摘されてきたことではあるが、子どもと職員の配置基準は6対1であることは、手厚いケアを必要とする施設生活者に対してあまりにも貧弱な制度設計である。親の不在・貧困に加え、虐待等さまざまな困難を抱え込まされている子

どもたちが増加しているにもかかわらず、1948年の児童福祉法制定にもとづく児童福祉施設最低基準は、1979年に定められた現行の基準以来、いっこうに改善されてこなかった。変わらない制度のもと、さまざまに困難な状況を抱え込まされてきた子どもたちに対する手厚いケアは人員的に難しいため、施設運営者らが、体罰を含め、結局は子どもたちを効率的に管理せねば、施設内部の物事をうまくまわせないという発想に導かれるのもある種の必然である。

　そもそも子どもの人権保障のためにそうした状況を改善させるのは行政の役割であり、政治の役割であるが、日本の社会福祉予算はその多くが高齢者に手厚く、子どもや家族には薄い。高齢者と児童との人口構成の違いを考慮する必要はあるものの、たとえば、2006年度の社会保障給付費総体は約89兆円であるが、そのうち高齢者関係給付費は約62兆円で69.8%を占めるのに対し、児童・家庭関係給付費は約3.5兆円で4.0%にすぎない（国立社会保障・人口問題研究所，2008）。また、OECDが2004年に発表しているデータによれば、日本の家族関連社会支出は対GDP費においては0.6%と、OECD平均の2.0%と比較して著しく低い（山野，2008：49）。おそらくそうした状況にとどめ置かれる理由として、子どもには票（選挙権）がないという政治システムの問題がある。だからこそ施設職員の役割は大きいのであり、藤野は当面は子どもの置かれている状況を把握している職員しか、子どもたちの代弁はできないと指摘している。そうした観点から施設職員の質を高め、子どもたちが置かれている状況の改善のために組織化をはかる交流が、そもそもの高校生交流会の成立につながっていったのである。

　しかし、施設経営者の立場から見ると、現在の措置基準でも経営的にはやっていけるというこれまでの経験があるのであり、予算が限られるなかで子どもたちへの手厚いケアを志すことは、経営的な厳しさを招き、施設職員や経営者の待遇や報酬を下げることに直結するのである。先に津崎が、全国児童養護施設高校生集会の途中からの主催者となった施設経営者組織が1990年代に解体してしまった理由として、「この種の活動でエンパワーメント機能が発揮されると自らの既得権益を侵すことにつながると気づいたからである」、

さらには「施設経営組織の事業経営上のエートス（倫理的雰囲気）が本邦社会的養護の最大特質であることは肝に銘じておきたい」（津崎，2009a：163）と指摘した背景には、限られた経済的資源の中で、子どもの権利擁護よりも社会福祉法人としての施設経営を優先せざるをえない状況があるからでもあろう。

あえて単純化して言えば、実質的に子どもの権利を保障しようとしていない児童福祉制度の不備の中で、子どもを管理の対象としてとらえ、社会福祉法人としての経営を優先するのか、それとも権利の主体としてとらえ、手間も暇も金もかけて手厚いケアを行うのかというトレードオフの関係がある。そこには、大人から見た子ども観が色濃く反映されている。そうしたまなざしは大人から子どもへ一方的に投げかけられるものであり、権力関係の非対称性があるという意味で、子ども不在の制度設計にならざるを得ないという構造的な問題があることも指摘しておきたい。

3 施設経験者による当事者活動の困難

3-1 施設経験者による当事者活動の困難

前節では、施設生活者としての高校生がSHGsの主体となることの困難を指摘した。では、1節で紹介したような、施設を退所した経験者による当事者活動は今後も発展していくのだろうか。

状況はそれほど楽観的ではないだろう。というのも、施設経験者ならではの当事者活動の困難として、スティグマの性質と、結集軸を見出しにくいという問題があるからである。ここで参考となるのは、6章でもとりあげた田中理絵（2004）の指摘である。ここで田中の指摘を繰り返せば、施設を出ると施設生活者としてのスティグマは薄れるのであり、さらには大人にとって親がいないことは当たり前の経験になることから、大人になることによってもスティグマは軽減される[6]。こうした要因に加え、施設経験者が施設生活者の環境改善を意図し、施設内部の問題点を指摘し、実際にその状況が改善

され得たとしても、その受益者は、実質的には現在、あるいは未来の施設生活者であり、必然的に次世代になってしまうのである。

　また、当事者活動としてはある種の「われわれ意識」の形成が求められるが、施設経験者とひとくくりに言えども、措置されるまでの背景が異なるうえに施設間格差も著しい状況においては、当事者の経験は多様であり、一元化されにくい。さらに退所者は施設生活者とは異なり、生活の場を共有しているわけでもなく、制度的に集まることができる場があるわけでもない。確かに、「児童養護施設○○園」の退所者・経験者というカテゴリーにおいてはその社会的アイデンティティは成り立つが、必ずしも当事者どうしが施設内で助け合う関係ではなく、2章でも指摘されているように、お互いにお互いのことを深く立ち入らないことも多いようだ。本調査において一例をあげるとすると、Mさん（21歳／男性）は子ども同士で家庭の話は「全くしなかった」と語っており、その理由は「何か、失礼になる感じがする」ということであった。児童養護施設に措置されているということそのものが、これまでお互いにさまざまな厳しい経験をしたことを想起させるがために、家庭背景については暗黙の了解として触れない過去となっている。お互いが、自身が抱え込まされている困難を自己開示し、課題が共有される体験は、お互いの信頼感を醸成する有益な方法であると考えられている（松下, 1999）。しかし、子ども同士であっても、あるいは子どもであるがゆえに、お互いの困難な経験を言語化して語ることは難しい。ましてや入所理由が知らされておらず、親との関係について整理できていない状況においては、なおさらである[7]。

　また、親という資源、それは住環境、経済的・心理的支援を含みうるものであるが、それらを活用できないがゆえに、施設経験者にはより手厚いアフターケアが必要となる。施設を退所した経験者と施設とのつながりを保障するための義務は児童福祉法に明記されているが、そのつながりを保障するための人的配置や資金は投入されておらず、施設職員が自腹で会社訪問をし、退所後の施設経験者の相談にのるなどといったことは、あくまでも個人的善意に頼っている状況にある。施設側としても、特に生活に「荒れ」の傾向が見られるような子どもの場合、「荒れ」の伝播を防ぐという名目で、退所後

に子ども同士でお互いに連絡を取りあわないように指導することもあるようだ。施設内での子どもたち同士の仲間づくりや人間関係形成は、退所後の資源となりうるにもかかわらず、である。

「児童養護施設経験者」というわれわれ意識が生まれるためには、自己の責任・自己の問題としないで、問題を外在化する「物語」が提示される必要がある。その物語をイデオロギーと呼んでもよいだろう。しかし、かつての高校生交流会のような試みが失われた現在、同じ物語を共有できる「児童養護施設経験者」というわれわれ意識・集合的アイデンティティを醸成する場は少ない。それ以前に、社会的養護の重要性が当事者にすら認識されない場合も多いなかでは、自らを振り返る作業も、自分たちをカテゴライズする言葉も必要とされないのである。

3-2 生育「家族依存社会」からの脱却？

では、児童養護施設経験者の当事者活動が広がりを見せるためには、いったいどのような条件が必要なのだろうか。ひとつは、生育家族のもとで育つことが決して当たり前のことではないという含意を社会的に広げることであろう。里親養育も含む、多様な生育のあり方が承認されることが、生育家族のもとで養護されていないという意味での「普通ではない」という感覚を相対化し、生きづらさを軽減させることになると思われる。そうしたいわゆる一般家庭を相対化する試みは、児童養護施設生活者／経験者のみならず、一般家庭を形成することが難しい、あるいはひとり親家庭で育った人たちなど、さまざまなマイノリティへの差別を軽減するために望ましい方向ではある。とはいえ、本書のサブタイトルにもあるように、子どもの育ちのための資源を家族に依存し、その裏返しとして家族の責任を強く問う日本社会であるからこそ、生育家族のもとで育たなくてもいいというオルタナティブの「物語」が簡単に受け入れられる可能性は低いだろう。

とすれば、6章でも指摘したように、現実的にはそれぞれの親が置かれてきた社会的立場と何らかのかたちで向き合い、親の生き方と折り合いをつけるたうえで、生育家族に頼らなくても生活を維持できるよう努めるという極

めて困難な試みを重ねるほかない。そのための折り合いのつけ方を学べる場が児童養護施設であるべきであり、同じ当事者として実際の経験を重ねたうえで、そうした折り合いをつけることが可能となった（なりつつある）先輩として、「体験的知識」を伝え、問題への個別対応をはかる「児童養護施設経験者」の当事者活動も大きな役割を果たすだろう。

おわりに　問題は当事者だけのものか？

　以上、SHGsとしての児童養護施設生活者／経験者の当事者活動の意義と、それへの期待があるにもかかわらず、その活動を困難にする要因を整理してきた。確かに、SHGsは、さまざまに不利な立場に置かれている当事者にとって、特に肯定的なアイデンティティの再構築や新たな自己肯定の物語の獲得など、非常に重要な機能を果たす。とはいえ、三島が指摘するように、SHGsの限界と危険性（三島, 2007：231）についても留意しておく必要がある。

　その限界と危険性とは、①SHGs活動が個別的・特殊化された問題で一定の成功を収めれば収めるほど、そこだけではどうにも解決のつかない社会資源の制約やサポート体制の欠如を克服するための構造的社会変革にはつながらず、政府・行政の責任逃れの口実に利用され、結局は、社会における資源や力の不適正な配分を永続化させることにつながること、②問題の特殊性・個別性が連帯を阻み、皆がその資源を共有できる完全な社会を求めることから目をそらさせ、地域限定的な個別的活動で問題が解決できるという幻想を抱かせることの二つである。

　これらの指摘のように、児童養護施設生活者／経験者が抱え込まされているさまざまな困難を軽減するためには、当然のことながら社会変革・制度変革が伴わなければならない。しかし、そうした社会変革を早急に求めるあまり、当事者活動に過度な期待をかけることもまた、当事者に大きな負担をかける結果となることも考慮されねばならないだろう。当事者の声が消費されるだけ消費されて制度変革につながらず、現状の変化が伴わないなかで活動

を続けていくことは、自己責任論が根強い現状においては、反転して当事者に責任を押しつけることにもなりかねないことには注意して注意しすぎることはない。つまり、社会変革につながらないのは当事者の努力不足であると、彼／彼女らを責めることにもなりかねないのである。

　こうした文脈のなかで、社会的養護に関する当事者団体は、社会変革まで目指すべきであるかどうか、それとも当事者のアイデンティティの再構築を最重要視するのかどうかなど幅があってしかるべきであり、その目標設定は個別の団体に任されるべきであろう。理想的にはさまざまな当事者団体の姿があり、自分が置かれている段階に応じて当事者団体を活用できるようになることが望ましいのではないか。

　いずれにせよ、児童養護施設経験者・支援者による活動は緒に就いたばかりであり、今後どのような展開を見せるのかは現在進行形である。当事者に全ての責任を押しつけずに望ましい社会を構築することはいかにして可能か。それは差別をいかにして解消するのかとほぼ同義となるが、そうした社会基盤の整備をすることなしに、児童養護施設生活者／経験者のキャリア支援を行っても、当事者のみに問題を押しつけたままとどめ置くことになるように思われる。6章での結論的な問題提起とも重なるが、経済的・政治的側面のみならず、人間関係という点で社会的な、そしてアイデンティティの再構築とそのための前提としての差別の撤廃という点で文化的な、これらの側面からの取り組みも同時になされなくてはならない。その主体となりうるのは、必ずしも当事者や当事者団体だけではないはずである。

注

（1）「児童養護施設生活者」「児童養護施設経験者」という用語の使いわけの含意については6章を参照。
（2）施設での生活は原則18歳までであり、大学進学など場合によっては20歳まで可能ではあるが、進学できなければ施設を退所することが求められる。
（3）2009年3月15日、鳥取こども学園。
（4）1970年の養護施設児童の高校進学率は20.8％であったが、特別育成費が算定されてい

る1975年には39.6％とおよそ2倍に上昇した（児童養護研究会編，1994：216）。進学率については5章参照。
（5）当時出版された菊田幸一（1981）に描かれていた施設収容少年の過酷な状況（施設内での暴力による自殺など）を高校生に読ませたところ「俺たちも同じだ」という反応が返ってきたという。当時、子どもたち同士での施設内の暴力は一般的であったようだ。施設内の子ども間の暴力については2章参照。
（6）ただし、施設経験者としてのスティグマは残る。
（7）大阪市児童福祉施設連盟養護部会処遇指標研究会（1998）は、1997年4月から5月にかけて、大阪市内の児童福祉施設で暮らす小学校4年生以上のすべての子ども・若者を対象に質問紙調査を実施している。また、およそ10年後にも同様の調査（大阪市児童福祉施設連盟養育指標研究会，2010）を実施している。1997年の調査によれば、施設入所の理由については、「よく知っている」36.4％、「少し知っている」27.0％、「あまり知らない」15.8％、「ほとんど知らない」19.4％となっており、「よく知っている」者は4割に満たない。2008年の調査では「よく知っている」52.7％、「少し知っている」24.8％、「あまり知らない」11.3％、「ほとんど知らない」10.3％となっており、「よく知っている」が過半数を占めるなど増加傾向にある。とはいえ、「知らない」子どもたちも決して少なくない。

終章

家族依存社会、社会的排除と児童養護施設

西田芳正

1 家族を頼れない人々にとっての日本社会

　児童養護施設で生活する子どもたち、施設を離れた後の若者たちが置かれた状況を明らかにしてきた本書には、いくつかの限界がある。そのなかでも最大のものは、中卒や高校中退で施設を離れるなど、施設経験者のうちのより困難度の高いケースについて調査対象とすることができなかった点、そして、施設を出た後の生活を十分に捉えることができなかった点である。

　その点で補完する知見を提供してくれるのが、近年行われた「ネットカフェ難民調査」と「ワーキングプア調査」である[1]。5章で言及されているとおり、「ネットカフェ難民調査」の対象者100名のうち1割が児童養護施設の経験者であり、ワーキングプア調査でも対象者中の住居喪失経験者68名のうち2名がやはり施設での生活を経験していた。彼／彼女らは早期に学校から離れ、施設を出た後にはほとんど頼るべき資源を持たないままに不安定な仕事を転々とし、ついには住居を失い「ネットカフェ」での生活や路上生活に至るという経験を重ねている。路上生活者には社会的養護の経験者が多いという傾向は欧米の研究で明らかにされているが、日本でも同様の状況にあることが確かめられたといえるだろう。

　そして、上記したふたつの調査からもう一点確認されるべきことは、児童養護施設に措置されることのなかった残る大半のケースについても、親の仕事が不調、病気、障害、不和と離再婚などの事情を抱える貧困層・生活不安定層の家庭で生まれ育つ子どもたちが、早期に学校を離れ、不安定な職業を転々とし、親を頼ることもできないままに非常に困難な状況に追い込まれ、

はじき落とされてきたという実態が明確に見られることである。

　身を寄せる場所がない、当座の生活費を援助してくれる人がいないという直接の困難だけでなく、保証人を立てられないことが社会的信用の有無に直結し、働いて十分な収入を得ていたとしても住居を借りたりクレジットカードを作る際に大きな障害となるという事態となる。また、時間的には前後するが、職業の安定度を大きく規定する教育達成について、親が頼れるか否か、家庭生活が安定したものかどうかが決定的に影響することは改めて繰り返すまでもないだろう[2]。

　生まれ育つ家庭がさまざまな資源に恵まれているか否かが子どもの人生を大きく左右し、頼るべき親がいない、いたとしても不安定な生活を強いられている場合には、子どもの現在の生活と将来が非常に厳しいものとなってしまうという日本社会の現実を、「家族依存社会」と呼ぶことができるだろう。

　タイトルに付した「臨界」という言葉にもふれておこう。『広辞苑』によれば、そこを境として物質の性質や状態が不連続に変化する境界を意味する物理学の用語である。家族の支えがある、親を頼れる人とそうでない人を隔てる一線を、「家族依存社会の臨界」と呼ぶとすれば、児童養護施設で生活する子どもたち、施設を離れた後の若者たちは、家族依存社会の臨界を超え、はじき出された人々の置かれた現実を典型的に映し出す存在だということができる[3]。

　さらに、「ネットカフェ難民調査」、「ワーキングプア調査」は、そうした家族依存社会のあり方が近年大きく変化していることを浮き彫りにしている。雇用の不安定化が親の生活の土台を掘り崩し、少子化と地域レベルの共同性の喪失が、血縁と地縁という家族を支えてきた資源の消失に結びついている。近年、「格差社会」、「貧困」という言葉が注目を集めているが、それは、臨界の外にはじき出された人々が急増している事態を意味しており、また、安定した生活を維持している人々においても、生活の土台が掘り崩され、はじき出される危険性が増しているのである。家族依存社会という陸地を取り囲む海水面を臨界としてイメージすれば、臨界の水位が上昇することで陸地の範囲が狭まり、波に洗われる部分が広がった状態といえるだろうか。

そして、はじき出された人々の置かれた状況を意味する言葉としてヨーロッパを中心に用いられているのが「社会的排除」である。それは、長時間働いても貧困水準から脱却できない、安定した住居を持てない状態、そして、十分な教育を受けることができないといった排除に至る過程も含めて、安定した社会生活を享受できない状態とそれをもたらすプロセスを合わせて意味している。

2　児童養護施設の現状と背景

　家族依存社会としての特性が変わらないままに家族の不安定性が高まり、結果として臨界の外側に排除される人々の数が増加している。今日の日本の状況をそのように描くことができるだろう。それでは、はじき出された子どもたちを支えるセーフティネットとして存在する児童養護施設は十分機能しているのだろうか。
　本書で明らかにしてきたとおり、問いに対する答えは「否」と言わざるを得ない。衣食住は提供され、職員からの働きかけがなされてはいるものの、それは不十分な水準にとどまり、施設で生活している間も、施設を出た後の生活についても、多くの困難に直面し、不安定な生活に至ることが少なくないというのが実態である。
　こうした現実を生みだし、今日まで維持させてきた要因は何だろうか。「児童養護施設に配分される資源を大幅に増やし、人的配置基準を向上させること」を求めるだけでなく、それが実現しないままとされてきた背景について考察することが必要だろう。ある施設を訪れた際、同じ福祉法人の敷地内に隣接して建てられた高齢者施設と児童養護施設を指さしながら、「これが施設の現実です」と職員から説明を受けたことがある。その外観から、両者に投下される資源の多寡を容易に想像することができた。児童養護施設への資源配分が不十分なままにとどめられた背景には、福祉一般の問題ではなく、児童養護の領域に固有の事情があるというべきだろう。

二点を指摘できるのではないだろうか。まず一点目は、この問題に対する社会的関心の低さである。児童養護施設の存在が一般にはほとんど知られていない状態が長く続いている。そして、近年では児童虐待への注目が集まっているが、措置された後の子どもがどのような経験をすることになるのかについては、以前と変わらず関心が向けられないままである。

　家族依存社会は、子どもの生活、育ちに関して「家族責任」、「親責任」を当然とする社会である。諸外国との比較調査から、他の大多数の子どもが享受している事柄であっても、「家の事情（金銭的など）で与えられなくてもしかたない」とする回答が日本では高いことを阿部彩（2008）が報告しているが、それは「親が貧しければ、親がいなければ、最低限度の生活と教育が提供されればそれでよい」とする意識のあらわれだろう。「親からの虐待」は「許しがたい」ものと認識されても、保護された子どもたちが自分たちの子どもと同様の条件を与えられなくても、それは許容範囲内の事柄として受け止められてしまう。

　社会的関心の低さは、関心を集めるために発信、行動する主体が不在であることからも生まれているだろう。施設に措置される子どもの場合、その親の多くは生活に困難を抱え、資源や情報、社会的発言力に乏しいケースが多く、さらには自分の子どもが置かれた状況について関心を示さない親もいるはずである。

　こうした事態は、たとえば「帰国子女」と呼ばれる子どもたちが国家的な関心を集め、大学の「特別入試」制度が整えられるに至ったケースと対照されるべきだろう[4]。そしてまた、7章で言及されているように、福祉領域においては高齢者福祉分野との比較対照が可能だろう。家族依存社会だからこそ負担を強いられる（老親にとっては家族に負担を強いてしまう）ことに切実な利害をもった一般市民が、福祉水準について活発に発言し要求することで、この分野のサービス水準が高められたといえるのではないか。また、「票につながる」政治的テーマとなりやすかった点も指摘できるだろう。児童養護施設の子どもたちは、そこに関心を向ける人、状況を代弁する人がいないまま、エアポケットに落ち込んだまま今日に至ったといえるかもしれない[5]。

社会的に発信し行動する主体が不在だったといえば、児童養護に関わる人々から批判を受けることが予想される。しかしながら、施設長と職員、福祉行政、そして研究者という四者のあり方が、児童養護施設を現状の水準にとどめてきた二点目の要因として指摘できるのではないだろうか。

児童養護施設の歴史と現代の状況を詳細に描いたグッドマン(2000＝2006)の記述から浮かび上がるのは、社会的養護のニーズに低予算で対応したい行政サイドと、国から支出される公金で経営を成り立たせることができる民間児童養護施設の経営者サイドの双方が、現状を維持する方向で利害が一致してきたために、施設の不十分なケア水準がそのままに維持されてきたという構図である。

また、児童養護分野の研究のあり方にも目を向けなければならない。児童養護施設に関連する書籍は多数公刊されているが、その多くが大学等で保育系の資格要件となっている科目の教科書である。施設職員を養成する学校で教えられる内容としては、施設で生活する子ども、施設を出た後の若者が直面している困難な状況について深く掘り下げることはふさわしくないのかもしれない。また、資格取得に不可欠な施設実習について、「学生が実習生としてお世話になる、負担をかける」という形で養成校と施設が関係する点も、研究面に少なからず影響を与えているものと予想される。

さらに、社会福祉学そのものがもつ特性も考慮されるべき点である。児童養護分野に限らず、制度政策批判以外の、特に職員が関わる部分での現状認識が規範的なものになりがちで、問題とされるべき事象についても「あってはならないこと」と非難することにとどまり、現状をそのような形で生み出してしまう条件、メカニズムの解明には向かわないという傾向が指摘されている(副田, 2008)。これらの要因から、施設の現状を批判的に分析し発信していく動きが展開することは困難であり、施設内の問題状況が外側に伝わりにくいままだったといえるだろう。施設内のいじめ、体罰、高い教育達成へのサポートが進まない点などについて、詳細な現状把握が求められる。

本書で何度も言及している『ぼくたちの15歳』など、児童養護関連の重要な著作も少なくない。施設職員を中心とした研究団体の活発な活動の蓄積も

ある。それらの成果を十分に踏まえながら、児童養護施設に関連する研究や社会的に発信されるメッセージが生み出される背景に関する分析が求められる[6]。

3　家族依存社会からの脱却を目指して

　最後に、本書での検討を踏まえて、何がなされるべきかを検討しよう。
　本書を通して描き出したのは、家族依存社会の仕組みがそのままに維持されるなかで、土台となる個々の家族の生活が不安定化し、家族を頼れずはじき出される人々が直面する困難な現実であった。家族依存社会が排除性を高める方向に変化したという現状把握からは、第一に土台としての家族の安定化を図ること、具体的には雇用と福祉施策の再構築が求められる。そして二点目としては、家族依存の度合いを低下させる、つまり、「親はなくとも(あるいは、親を頼れなくとも)、子は育つ」仕組みを構築することであろう。
　そのための、つまり社会的養護の担い手としてある児童養護施設が、必要なサポートを提供する存在であらねばならない。言いつくされたことではあるが、やはり人的な資源配分が大幅に改善されることが必要である。近年、措置される子どもたちがそれぞれ抱える事情、問題が深刻化、複雑化しているとの指摘もあり、また、十分な教育達成を実現するために、さらに施設を離れた後のアフターケアを行うためにも、個別の対応ができる職員配置が実現されなければならない。また、職員が長期にわたって子どもたち／若者たちに関わることが不可欠であり、単なる定員基準の改正のみならず、児童養護施設が長く働ける職場となるよう労働条件においても大幅な改善が求められる。
　この点に関連して、今回聞き取ることのできた語りから直接引き出せるポイントのひとつに「家庭引き取り」をめぐる評価の問題がある。Mさんは、施設で暮らす子どもたちの多くが「家に帰りたい、帰りたい」と親元で生活できるようになることを切望しているが、「帰ってよかったためしはないんで

すよ、僕の記憶のなかでは。やっぱり、家といざこざがあって、崩壊していく。(今連絡をとっている子のなかにも、施設を)途中で辞めて、厳しい生活をしてるってね。すごい、落ちるところまで落ちてますね」と自身の経験を語っている。家族、親の生活状況に大きな改善、安定化が見られないままに家庭への復帰がなされているとすれば、子どもにとっては措置以前の生活に戻ることでしかないだろう。

　児童養護施設と児童福祉機関に期待される機能のひとつに家族支援が加えられているが、措置された子どものケアすら不十分な現状で、また、社会全体の不安定化が進むなかでは、家族生活の安定化の働きかけを期待することは過重なことであるように思われる。3章で紹介した中学の教員は、「施設にとどまり高校まで出る」ことを子どもたちに強く訴えているという。施設の定員が満杯で措置されるのを待つ子どもが多数にのぼるという事態があるなかでは難しい選択だが、家族側に大きな変化が見られない限り、施設に長くとどまることを原則とする方針が採られるべきではないだろうか。

　問題は施設に措置された子どもだけではないことも忘れてはならない点である。それについては、3章で詳述したが、困難を抱えた子どもたちに対して学校教育が十分な支援、働きかけを行うことができる方向での制度拡充が求められる。たとえば生活不安定層の集積度の指標となる就学援助率の高い学校への重点的資源配分や貧困層対象の奨学金制度、学費減免の充実など、生育家族のあり方によってもたらされる不利な条件を学校教育においてカバーする補償教育、アファーマティブアクション(積極的格差是正措置)が日本においても導入されるべき段階に至っているというべきだろう。児童養護施設に関する学校教育の拡充としては、施設から通学する児童生徒がいる小中学校に対して児童生徒支援加配教職員が複数名配置されることが急がれる課題である。

　それでは、社会に出た後にもついてまわる不利、ハンディキャップをカバーするためになされるべきことは何だろうか。親がいないことが社会的信用のなさと等置され、交際や結婚に際しても親族から反対の理由とされることが今日なお続いている[7]。

残念ながら、この点について即効性のある有効な手立てを構想することは困難だろう。ただ、不利な状況にある人々、家族を頼れない子どもたちが非常に困難な状況を強いられている現実がほとんど知られていないという点が重要な意味をもつものと思われる。現状が広く知られていけば、改善に向けた社会的な合意、支持につながるのではないだろうか。「家族依存社会のもとでの家族の脆弱化」は、大多数の人々にとっても容易におちいる可能性の高い問題状況であり、また、「個人の努力」が報われるべきだとする意識が強く抱かれているなかでは、「努力するための条件に恵まれない」実状を訴えることも有効だろう。

　「親を頼れない、かわいそうな子どもたち」というメッセージが伝えられるだけでは、あわれみの意識や「あの子たちは自分たちとは違う存在」として差別的に捉える意識を強めてしまうかもしれない。それは、施設で生活する子どもたち、施設を離れた若者たちを苦しめてきたまなざしであった。伝えられるべきなのは、子どもを養育できない生活に親たちを追いやった社会のメカニズム、子どもたち／若者たちに我慢やあきらめを強いてきた社会的養護の実態、そして、厳しい状況のなかで自身を見つめ、充実した生活を実現しようと努めている施設生活者／経験者たちの姿である。

　さらに、2章の末尾で詳述したように、「施設に入れてよかった、幸せだった」、「職員の人にいっぱい話を聞いてもらった、信頼できる人に出会った」といった経験もあわせて伝えられるべきである。就職して施設を離れた女性が、数年後に施設を訪れ、成長した姿を目にした職員から「施設に入ってよかったね」と声をかけられ、「うん、ほんとによかった」と返している場面が調査で語られた。児童養護施設のそうした現実は、社会が保障する体制のもとで成り立っているというよりも、職員個人の、あるいは個々の施設レベルの取り組みの成果としてあるというべきなのだろう。そうした実践が広がっていくように、施設で生活する子どもたち、施設を離れた若者たち、施設で働く人々、困難な立場の子どもや若者を支えるさまざまな職務に就く人々を励ますメッセージがあわせて伝えられなければならない。

　本書は、個人と家族に責任をゆだね、子どもの育ちと若者の生活を家族に

依存する社会の姿を、児童養護施設を切り口として描いてきた。そこからはじき出される人々が急増し困難を強いられている事態は、家族依存社会が破綻しつつあることを物語っている。今とは違った社会、つまり、子どもを育て、若者を守り、人々を支える社会を構想し、その実現に向けて取り組むための端緒を、児童養護施設とそこで生活する子どもたち、施設を離れた若者たちの経験に求めることができる。

謝辞

　この研究は、施設で生活した経験をもつ協力者の方々に出会えたからこそ可能となりました。自身の生い立ちから現在までの生活を語っていただきましたが、そのなかにはふりかえりたくない事柄も少なくなかったはずです。インタビューの場面で、またその後に、大きな負担を強いることになってしまったのではないかと思われることが何度もありました。また、こうした調査の際、紹介者の存在が非常に大きなものであることを、今回あらためて強く感じています。ご本人、そして紹介者の方一人ひとりについてお名前をあげて感謝の気持ちをお伝えしたいというのが執筆者全員の願いですが、こうした形でお礼の気持ちを記しておきます。ありがとうございました。

　児童養護施設や学校の関係者の方々にも、お忙しいなか時間をとっていただき、経験や現状について説明していただきました。こうして発信する研究の成果が、施設の子どもたちが現在、そして将来にわたって直面する困難を、また子どもたちに関わる人々が置かれた状況を改善するために何らかの形で寄与することができればと願っています。

　本書は、児童福祉を専門とする1名のほかは児童養護施設の存在すら知らなかった社会学研究者3名が、不十分な点が多いままに研究の成果を世に問うものです。そのため、社会的養護の場で仕事を重ねてこられた実践者、研究者の方々から誤解や問題点を多数指摘されることを覚悟しています。ご批判、ご指摘をいただき、社会からはじき出されて生きざるを得ない子どもた

ち、若者たち、親たちを生みださない社会につくり変えていくための議論と発信を共に進めていきたいと願うものです。

注

（1）連合・連合総研が2009年に実施した「ワーキングプア調査」には西田がメンバーとして参加した他、妻木、内田も実査に加わっている。また、釜ヶ崎支援機構による2007年の「ネットカフェ難民調査」には、私たちと何度か調査を共にしてきた堤圭史郎が参加しており、本書に関連する知見を報告している（堤，2008）。
（2）連合総研「ワーキングプア調査」報告書（分析編）に掲載される拙稿「住居喪失者の生活史と現在」を参照されたい。生活史記録が詳細に載せられた「ケースレポート編」とともに、同報告書は連合総研のHPからダウンロードできる。
（3）施設で生活する子どもたちの手記を集めた本が出版されているが（代表例として養護施設協議会，1977；全国社会福祉協議会養護施設協議会，1990）、そこには貧困状況のもとに置かれた子ども、家族の姿が克明に描かれている。これらは、「子どもと貧困」のテキストとしても読まれるべきである。
（4）『日本の児童養護』の著者であるグッドマン（2000＝2006）は、日本でのフィールドワークの当初、「日本で最も深刻な排除状態にある子ども」として調査対象としたのが「帰国子女」であった。しかし研究を通して明らかにされたのは、有力企業が影響力を行使して政治を動かすことで権利を擁護された存在としての「帰国子女」であった。
（5）当事者である施設で生活する子ども／若者が社会的に行動し発信することが困難である点についても7章を参照。
（6）当事者が声を上げた成果として評価、言及されることの多い『子どもが語る施設の暮らし』（『子どもが語る施設の暮らし』編集委員会編，1999；『子どもが語る施設の暮らし2』編集委員会編，2003）は、当事者の立場から経験を記した貴重な内容であり、たとえば施設職員の言動やその受け止められ方についての豊富な記述があるが、それを分析素材とした試みは見られない。さらに、高校生やそれ以上の年齢層についても「子ども」、「児童」、「高年齢児童」といった用語が用いられる点も、児童養護施設が語られる際の特徴として指摘できるだろう。
（7）先述した連合「ワーキングプア調査」では、両親を交通事故で失い、ひとりで生きてきた男性が、交際相手の家族から「両親がいない」ことを理由に反対され離別した経験が語られている。

【文献】

阿部彩，2008『子どもの貧困——日本の不公平を考える』岩波書店.
安部計彦編，2009『一時保護所の子どもと支援』明石書店.
青木紀，2007「学校教育における排除と不平等——学費調達の分析から」福原宏幸編『社会的排除／包摂と社会政策』法律文化社：200-219.
有村大士，2009「対応困難場面発生の構造からみた規模と職員配置」安部計彦『一時保護所の子どもと支援』明石書店：52-62.
朝日新聞厚生文化事業団，2010「社会的養護の当事者グループ全国ネットワーク『こどもっと』が設立されました」(http://www.asahi-welfare.or.jp/kodomotto/setsuritsu.html) 2010年7月28日.
浅野智彦，2001『自己への物語論的接近——家族療法から社会学へ』勁草書房.
Barter, C., Cawson, P., Berridge, D., Renold, E., 2004, *Peer Violence in Children's Residential Care*, Palgrave Macmillan（=2009，岩崎浩三訳『児童の施設養護における仲間による暴力』筒井書房).
部落解放・人権研究所編，2005『排除される若者たち——フリーターと不平等の再生産』解放出版社.
部落解放・人権研究所編，2008『児童養護施設経験者に関する調査研究事業 2007年度報告書』大阪人権教育啓発事業推進協議会.
遠藤浩，2002「自立援助ホームからの提言」村井美紀・小林英義編著『虐待を受けた子どもへの自立支援』中央法規：9-41.
Erikson, E.H., 1968, *Identity, youth, and crisis*, New York：W. W. Norton（=1970，岩瀬庸理訳『青年と危機——アイデンティティ』金沢文庫.
藤野興一，1991「第4回全国養護施設高校生交流会を終えて——高校生交流会運動のゆくえ」全国養護施設高校生交流会岐阜大会実行委員会編『全国養護施設高校生交流会岐阜大会報告集』全社協全国養護施設協議会：143-147.
藤野興一，出版年不明「高校生交流会の歩み」『全国児童養護施設高校生交流会——東京大会報告』：37-44.
福原宏幸，2007「社会的排除／包摂論の現在と展望」福原宏幸編著『社会的排除／包摂と社会政策』法律文化社：11-39.
Gertner, A. & Riessman, F. 1987, "The Surgeon General and the Self-help Ethos", *Social Policy*, Fall, 23-25.
Giddens, A., 1991, *Modernity and Self-Identity : Self and Society in the Late Modern Age*, Stanford University Press.（=2005，秋吉美都・安藤太郎・筒井淳也訳『モダニティと自己アイデンティティ——後期近代における自己と社会』ハーベスト社).
Gleason, P.,1983, "Identifying Identity：A Semantic History." *The Journal of American History*, 69（4）：910-31.
Goffman, E., 1961. *Asylums:Essay on the Social Situation of Mental Patients and Other Inmates*, Doubleday & Campany, Inc（=1984，石黒毅訳『アサイラム』誠信書房).

Goffman, E., 1963, Stigma：Notes on the Management of Spoiled Identity, Prentice-Hall (＝1970, 石黒毅訳『スティグマの社会学――烙印を押されたアイデンティティ』せりか書房.)
Goodman, R., 2000, *Children of the Japanese State; The Changing Role of Child Protection Institutions in Contemporary Japan*, Oxford University Press (＝2006, 津崎哲雄訳『日本の児童養護』明石書店).
原史子，2005「児童養護施設入所児童の家族的背景と家族への支援 (1)」『金城学院大学論集 社会科学編』第2巻第1号：47-66.
長谷川眞人，2000『児童養護施設の子どもたちはいま――過去・現在・未来を語る』三学出版.
長谷川眞人，2001「当事者の語りに寄り添い学ぶ――児童養護施設出身者が語る過去・現在・未来」『子どもの虐待とネグレクト』（日本子ども虐待防止学会）第3巻第1号：80-82.
長谷川眞人・堀場純矢編著，2005『児童養護施設と子どもの生活問題』三学出版.
長谷川洋昭，2005「インタビュー 子どもが語る『自分史』――いま、オレが若いヤツに語っている言葉は、昔職員がオレに語っていた言葉です」『児童養護』（全国社会福祉協議会全国児童養護施設協議会）第36巻第2号：33-38.
畑中通夫，2006「児童養護施設の子どもたちと進路保障」『部落解放』（解放出版社）：204-207.
林浩康，2009「児童養護施設職員による子どもへの虐待予防とその課題」『子どもの虐待とネグレクト』（日本子ども虐待防止学会）第11巻第2号：194-202.
廣瀬さゆり，2006『児童養護の当事者による、自立の力を育む援助に関しての一考察――児童養護施設特有の自立の課題と自立を育む要素の検証』東洋大学社会学部卒業論文.
堀場純矢，2006「子どもの生活問題と児童養護施設の動向」『福祉のひろば』（かもがわ出版）Vol.80（通巻445号）：9-15.
堀場純矢，2009a「日本における子どもの養育を担う親の階層構成」長谷川眞人・堀場純矢編著『児童養護施設と子どもの生活問題』三学出版：75-87.
堀場純矢，2009b「児童養護施設入所に至る子どもと親の生活問題」長谷川眞人・堀場純矢編著『児童養護施設と子どもの生活問題』三学出版：111-160.
堀場純矢，2009c「児童養護問題の階層性――児童養護施設6カ所の実態調査から」『厚生の指標』（厚生統計協会）第56巻第10号：7-13.
堀場純矢，2009d「貧困と虐待の中で生きる子どもたち――児童養護施設調査から見た子どもと家族」子どもの貧困白書編集委員会編『子どもの貧困白書』明石書店：126-128.
伊部恭子，2006「インタビュー 子どもが語る『自分史』――子どもとかかわる仕事をしていきたい」『児童養護』（全国社会福祉協議会全国児童養護施設協議会）第36巻第4号：33-37.
市川太郎，2004「（実務ノート）子どもの意向を汲むとはどういうことか――児童養護施設生活経験者＝当事者の立場から」『ケース研究』（家庭事件研究会）第281号：115-122.
市川太郎，2006「当事者から見た日本の社会的養護」望月彰編著『子どもの社会的養護――

出会いと希望のかけはし』建帛社：161-184.
市川太郎，2007「社会的養護当事者組織の意義と役割――児童養護の当事者参加推進団体『日向ぼっこ』の活動を通して」高橋重宏監修『日本の子ども家庭福祉――児童福祉法制定60年の歩み』明石書店：239-251.
伊藤嘉余子，2007『児童養護施設におけるレジデンシャルワーク――施設職員の職場環境とストレス』明石書店.
伊藤嘉余子，2010「児童養護施設入所児童が語る施設生活――インタビュー調査からの分析」『社会福祉学』（日本社会福祉学会）第50巻第4号：82-95.
岩田正美，2008「家族と企業福祉が壊れた後で分断された人々をどう救うか」『中央公論』第123号第4巻：86-91.
児童養護研究会編，1994『養護施設の子どもたち』朱鷺書房.
釜ヶ崎支援機構・大阪市立大学創造都市研究科，2008『「若年不安定就労・不安定住居者聞き取り調査」報告書――「若年ホームレス生活者」への支援の模索』.
神原知香，2004「（研究ノート）高年齢児童・青少年に対する援助・支援に関する研究の課題」『社会問題研究』（大阪府立大学人間社会学部）第53巻第2号：117-132.
神田ふみよ，1986『それぞれの花をいだいて――養護施設の少女たち』ミネルヴァ書房.
神田ふみよ編著，1992『春の歌うたえば――養護施設からの旅立ち』ミネルヴァ書房.
家庭養護促進協会，2004『里親が知っておきたい36の知識――法律から子育ての悩みまで』.
家庭養護促進協会編，2007『真実告知ハンドブック――里親・養親が子どもに話すために』.
カリヨン子どもセンター，2006『お芝居から生まれた子どもシェルター』明石書店.
カリヨン子どもセンター・子どもセンターてんぽ・子どもセンター「パオ」・子どもシェルターモモ，2009『居場所を失った子どもを守る子どものシェルターの挑戦』明石書店.
加藤純，2005「社会的養護ニーズの基礎理解」北川清一編『三訂 児童福祉施設と実践方法』中央法規出版：56-70.
川松亮，2008「児童相談所からみる子どもの虐待と貧困――虐待のハイリスク要因としての貧困」浅井春夫他編『子どもの貧困――子ども時代のしあわせ平等のために』明石書店：84-111.
菊田幸一，1979「養護施設児への差別教育」『少年棄民――施設収容少年の人権』評論社：33-61.
木下茂幸著・前田信一監修，2007『児童養護とは何か――木下茂幸の養育論』明石書店.
北沢文武，1983「この現実を直視する」小川利夫・村岡末広・長谷川真人・高橋正教編著『ぼくたちの15歳――養護施設児童の高校進学問題』ミネルヴァ書房：66-94.
小林英義，1985『ひとりぼっち――養護施設からの報告』みくに書房.
『子どもが語る施設の暮らし』編集委員会編，1999『子どもが語る施設の暮らし』明石書店.
『子どもが語る施設の暮らし2』編集委員会編，2003『子どもが語る施設の暮らし』明石書店.
国立社会保障・人口問題研究所，2008『平成18年度社会保障給付費』.
小杉礼子，2003『フリーターという生き方』勁草書房.
小杉礼子編，2005『フリーターとニート』勁草書房.

厚生労働省雇用均等・児童家庭局，2004『児童養護施設入所児童等調査結果の概要（平成15年2月1日現在）』．

厚生労働省大臣官房統計情報部，2007『平成18年社会福祉施設等調査結果の概況』．

厚生労働省雇用均等・児童家庭局，2009「児童養護施設入所児童等調査結果の概要（2008年2月1日現在）」(http://www.mhlw.go.jp/toukei/saikin/hw/jidouyougo/19/index.html)．

倉岡小夜，1992『和子6歳いじめで死んだ——養護施設と子どもの人権』ひとなる書房．

黒田邦夫，1992「昭和館事件を現場から考える」倉岡小夜『和子6歳いじめで死んだ——養護施設と子どもの人権』ひとなる書房：181-211．

黒田邦夫，2007「子どもの権利擁護」浅井春夫編著『子ども福祉』建帛社：186-196．

黒田邦夫，2009「児童養護施設で何が起きているのか——被虐待児の増加と求められる職員増」浅井春夫・金澤誠一『福祉・保育現場の貧困——人間の安全保障を求めて』明石書店：106-136．

草間吉夫，2006『ひとりぼっちの私が市長になった！』講談社．

桑原教修・塩見守・藤木浩行・山口公一・森昌喜治，2005「座談会・権利擁護と子どもの行動化」資生堂社会福祉事業財団『世界の児童と母性』（資生堂社会福祉事業財団）第58号：42-55．

増淵千保美，2008『児童養護問題の構造とその対策体系——児童福祉の位置と役割』高菅出版．

松本伊智朗，1987「養護施設卒園者の『生活構造』——『貧困』の固定的性格に関する一考察」『北海道大学教育学部紀要』第49号：43-119．

松本伊智朗，2004「インタビュー2 私の過ごしてきた生き方」『児童養護』（全国社会福祉協議会全国児童養護施設協議会）第34巻第3号：31-35．

松本伊智朗，2005「子どもが語る『自分史』——信頼される大切さが分かってきました」『児童養護』（全国社会福祉協議会全国児童養護施設協議会）第35巻第3号：32-37．

松本伊智朗，2008「子どもの貧困と社会的養護」『社会福祉研究』（鉄道弘済会社会福祉部）第103号：29-37．

松本伊智朗編著，2010『子ども虐待と貧困——「忘れられた子ども」のいない社会をめざして』明石書店．

松下一世，1999『子どもの心がひらく人権教育——アイデンティティを求めて』部落解放・人権研究所．

三島一郎，1997「セルフ・ヘルプ・グループの機能と役割——その可能性と限界」『コミュニティ心理学研究』（日本コミュニティ心理学会）第1巻第1号：82-93．

三島一郎，2007「セルフヘルプ・グループ」『コミュニティ心理学ハンドブック』東京大学出版会：218-235．

三宅芳宏，2002「児童養護施設からの提言」『子どもの虐待とネグレクト』（日本子ども虐待防止学会）第4巻第2号：217-225．

望月彰，2004『自立支援の児童養護論——施設でくらす子どもの生活と権利』ミネルヴァ書房．

森和子，2006「養子の出自を知る権利の保障についての一考察――オーストラリア・ニュージーランドにおける実践から」『文京学院大学人間学部研究紀要』第8巻第1号：21-51.
盛満弥生・西田芳正，2008「C小――施設児童を中心に据えた学校づくり」大阪大学大学院人間科学研究科教育文化学研究室『「力のある学校」の探究』：94-102.
師康晴，2006「子どもの意見表明を支持する――全国養護施設高校生交流会から」『出会えてよかった――絶対の差別の解消をめざして』言叢社：107-139.
村井美紀，2002「『自立』と『自立支援』」村井美紀・小林英義編著『虐待を受けた子どもへの自立支援』中央法規.
村井美紀，2003「インタビュー 私はぬくぬくと育ってきていない」『児童養護』（全国社会福祉協議会全国児童養護施設協議会）第34巻第1号：31-35.
村井美紀，2004「『第57回全国児童養護施設長協議会』第一研究部会『当事者の声を聴く』を終えて（特集2 子どもが語る自分史）」『児童養護』（全国社会福祉協議会全国児童養護施設協議会）第34巻第4号：26-29.
村田紋子，2010「被措置児童等虐待対応ガイドライン」に関する今後の課題について」小田原女子短期大学『研究紀要』第40号：99-107.
中村みどり・長瀬正子・森本志磨子，2009「CVVの過去・現在・未来」社会的養護の当事者参加推進団体日向ぼっこ編著『施設で育った子どもたちの居場所「日向ぼっこ」と社会的養護』明石書店：91-98.
中野陸夫・池田寛・中尾健次・森実，2000『同和教育への招待――人権教育をひらく』解放出版社.
楢原真也，2009「児童養護施設におけるテリング・ライフストーリーワークの実態と課題――関係者20名を対象とした面接調査から『子どもの虐待とネグレクト』（日本子ども虐待防止学会）11巻1号：104-117.
日本弁護士連合会，2006『子どもの権利ガイドブック』明石書店.
日本児童福祉協会，2005『子ども・家族の相談援助をするために――市町村児童家庭相談援助指針・児童相談所援助指針』．
西田芳正，1996「再生産と教師――教師文化における差別性をめぐって」八木正編『被差別世界と社会学』明石書店：237-259.
西田芳正，2008「施設の子どもたちに対する学校教育の取り組み」大阪人権教育啓発事業推進協議会，『児童養護施設経験者に関する調査研究事業』：101-110.
西宮市立山口中学校人権教育部，2004「ともに出会い、生きることを学ぶ――児童養護施設の子どもたち」『解放教育』（明治図書出版）第34巻第7号：62-77.
西尾祐吾，1999『貧困の世代間継承に関する研究』相川書房.
野津牧，2009「児童福祉施設で生活する子どもたちの人権を守るために」『子どもと福祉』（明石書店）第2号：49-54.
小川利夫・村岡末広・長谷川眞人・高橋正教編著，1983『ぼくたちの15歳――養護施設児童の高校進学問題』ミネルヴァ書房.
大阪市，2007『若年者の雇用実態に関する調査報告書』.
大阪市児童福祉施設連盟養護部会処遇指標研究会，1996『養護高齢児に対する社会生活援

助に関する調査報告書』.
大阪市児童福祉施設連盟養護部会処遇指標研究会, 1998『今、施設で生活する子どもたち――養護施設・情緒障害児短期治療施設・教護院の生活』.
大阪市児童福祉施設連盟養育指標研究会, 2010『今、施設で暮らす子どもの意識調査：10年を経て――児童養護施設・情緒障害児短期治療施設・児童自立支援施設の10年』.
大嶋恭二・永井聖二著, 青少年福祉センター編, 1975『絆なき者たち――家なく親なく学歴もなく』人間の科学社.
大嶋恭二編, 1997『児童福祉ニーズの把握・充足の視点――要養護高齢女子児童の自立援助の課題』多賀出版.
連合総合生活開発研究所, 2010『ワーキングプアに関する連合・連合総研共同調査研究報告書Ⅰ――ケースレポート編 困難な時代を生きる120人の仕事と生活の経歴』.
才村眞理, 2009『ライフストーリーブック――生まれた家族から離れて暮らす子どもたちのための』福村出版.
坂本博之, 2001『ちくしょう魂』小学館.
櫻井奈津子, 2008「社会的養護の提供――児童福祉施設と里親」櫻井奈津子編著『養護原理』青鞜社：67-68.
サロン「だいじ家」(http://www2.ucatv.ne.jp/~sasaeru.snow/daijike/index.html)
青少年福祉センター編, 1989『強いられた「自立」――高齢児童の養護への道を探る』ミネルヴァ書房.
青少年と共に歩む会編, 1997『静かなたたかい――広岡知彦と「憩いの家」の三〇年』朝日新聞社.
副田義也, 2008『福祉社会学宣言』岩波書店.
菅原哲男, 2003『誰がこの子を受けとめるのか――光の子どもの家の記録』言叢社.
杉山登志郎・海野千畝子, 2009「児童養護施設における施設内性的被害加害の現状と課題」『子どもの虐待とネグレクト』（日本子ども虐待防止学会）第11巻第2号：172-181.
鈴木力, 2003「インタビュー2 いま、自分のやりたいことを見つけています」『児童養護』（全国社会福祉協議会全国児童養護施設協議会）第34巻第2号：30-35.
全国社会福祉協議会, 2009『子どもの育みの本質と実践調査研究報告書――社会的養護を必要とする児童の発達・養育過程におけるケアと自立支援の拡充のための調査研究事業』.
社会保障審議会児童部会社会的養護専門委員会, 2007『「社会的養護体制の充実を図るための方策について」社会保障審議会児童部会社会的養護専門委員会報告書』厚生労働省雇用均等・児童家庭局.
社会的養護の当事者参加民間グループ『こもれび』(http://blogs.yahoo.co.jp/komorebi080604).
社会的養護の当事者参加推進団体日向ぼっこ（http://hinatabokko2006.main.jp/）.
社会的養護の当事者参加推進団体日向ぼっこ編著, 2009『施設で育った子どもたちの居場所「日向ぼっこ」と社会的養護』明石書店.
社会的養護の当事者推進団体なごやかサポートみらい (http://nagoyakamirai.web.fc2.com/index.html).

田嶌誠一，2009「児童福祉施設における施設内暴力の解決に向けて——個別対応を応援する『仕組みづくり』の必要性とその一例としての『安全委員会方式』の紹介」『コミュニティ心理学研究』（日本コミュニティ心理学会）第12巻2号：95-108.

高口明久・生田周二，1991「養護児童の進路形成——家族的背景、施設・学校生活及び学校卒業後の進路形成」『鳥取大學教育学部研究報告　教育科学』第33巻第2号：353-433.

高口明久編著，1993『養護施設入園児童の教育と進路——施設・学校生活及び進路形成過程の研究』多賀出版.

高橋亜美，2009「子どもに自己責任を負わせない——子ども時代の保障こそ豊かな社会の礎」子どもの貧困白書編集委員会『子どもの貧困白書』明石書店：132-134.

高橋正教，1983「養護施設児童の進路保障」小川利夫・村岡末広・長谷川眞人・高橋正教編著『ぼくたちの15歳——養護施設児童の高校進学問題』ミネルヴァ書房：148-203.

田中理絵，2004『家族崩壊と子どものスティグマ——家族崩壊後の子どもの社会化研究』九州大学出版会.

谷口由希子，2006「児童養護施設の子どもたちと生活の立て直しの困難性——脆弱な生活基盤の家族・子どもと社会的排除の様相」『教育』（国土社）第56巻12号：26-33.

谷口由希子，2010「児童養護施設で生活する子どもたちの退所の様相——生活過程の縦断調査の結果から」『貧困研究』（明石書店）第5号：110-118.

時津倫子，1998「アイデンティティ概念の検討」『学術研究』（早稲田大学教育会）第46号：25-38.

東京都社会福祉事業団，2008『自立のためのハンドブック——社会の一員としてこれは知っておきたい！』.

東京都社会福祉協議会児童部会調査研究部，2004「児童養護施設退所児童の追跡調査（平成13年度就労自立した145名について）」東京都社会福祉議会児童部会『紀要』平成14年度版.

鳥山まどか，2008「家族の教育費負担と子どもの貧困」浅井春夫・湯澤直美・松本伊智朗編著『子どもの貧困——子ども時代のしあわせ平等のために』明石書店.

堤圭史郎，2008「『ネットカフェ生活者』の析出に関する生育家族からの考察」釜ヶ崎支援機構・大阪市立大学創造都市研究科『「若年不安定就労・不安定住居者聞き取り調査」報告書——「若年ホームレス生活者」への支援の模索』：53-65.

津崎哲雄，1991「我国における『養護児童の声』運動の可能性——全国養護施設高校生交流会の展開とその意義」『仏教大学研究紀要』第75号：183-209.

津崎哲雄，2009a「私が日向ぼっこに期待するわけ——当事者活動の社会的な意義」社会的養護の当事者参加推進団体日向ぼっこ編著『施設で育った子どもたちの居場所「日向ぼっこ」と社会的養護』明石書店：161-169.

津崎哲雄，2009b「わが国における「養護児童の声」運動の可能性——全国養護施設高校生交流会の展開とその意義」『この国の子どもたち　要保護児童社会的擁護の日本的構築——大人の既得権益と子どもの福祉』日本加除出版：23-49（初出，1991『仏教大学研究紀要』75）.

津崎哲郎，1992『子どもの虐待——その実態と援助』朱鷺書房.

内田龍史，2010「期待される『部落民』像――アイデンティティの獲得と継承」黒川みどり編著『近代日本の他者と向き合う』部落解放・人権研究所：281-308.
上野加代子編，2006『児童虐待のポリティクス――「こころ」の問題から「社会」の問題へ』明石書店．
上野加代子，2007「児童虐待――リスクの個人管理から社会管理へ」『季刊 家計経済研究』（家計経済研究所）No.73：33-41.
White, M. & Epston, D.,1990, *Narrative Means to Therapeutic Ends*, New York, Norton.（＝1992，小森康永訳『物語としての家族』金剛出版．）
山田勝美，2008「児童養護施設における子どもの育ちと貧困――社会的不利におかれた子どもの『あてのなさ』」浅井春夫・湯澤直美・松本伊智朗編著『子どもの貧困――子ども時代のしあわせ平等のために』明石書店：136-153.
山縣文治，2003a「インタビュー 自分なりに納得して受け入れた」『児童養護』（全国社会福祉協議会全国児童養護施設協議会）第34巻第1号：26-31.
山縣文治，2003b「インタビュー1 将来のことは高校に受かってから」『児童養護』（全国社会福祉協議会全国児童養護施設協議会）第34巻第2号：26-30.
山縣文治，2004「インタビュー1 困ったときはまず自分に相談します」『児童養護』（全国社会福祉協議会全国児童養護施設協議会）第34巻第3号：26-31.
山縣文治，2005「インタビュー 子どもが語る『自分史』前を向いて明日も頑張ろう――10年間を振り返って」『児童養護』（全国社会福祉協議会全国児童養護施設協議会）第36巻第1号：32-37.
山縣文治，2006「インタビュー 子どもが語る『自分史』自立生活の自信はそれなりにあります」（全国社会福祉協議会全国児童養護施設協議会）36巻3号：33-37.
山屋春恵，2009「一時保護中の子どもたち」安部計彦編『一時保護所の子どもと支援』明石書店：141-160.
山野良一，2006「児童虐待は「こころ」の問題か」上野加代子編著『児童虐待のポリティクス』明石書店：53-99.
山野良一，2008『子どもの最貧国・日本――学力・心身・社会におよぶ諸影響』光文社新書．
山野良一，2010「日米の先行研究に学ぶ子ども虐待と貧困」松本伊智朗編『子ども虐待と貧困――「忘れられた子ども」のいない社会をめざして』明石書店：187-236.
読売光と愛の事業団編，2003『夢追いかけて――児童養護施設からはばたく子どもたち』中央公論新社．
読売光と愛の事業団編，2010『夢をかなえる力――児童養護施設を巣立った子どもたちの進学と自立の物語』明石書店．
米沢普子，2007「里親・養親家庭の真実告知――子どもにとって自分の出生を知ることは，根っことなる，とても大切なこと」『そだちと臨床』（明石書店）第2号：28-31.
養護施設協議会，1977『作文集 泣くものか――子どもの人権10年の証言』亜紀書房．
湯浅誠・仁平典宏，2007「若年ホームレス――『意欲の貧困』が提起する問い」本田由紀編『若者の労働と生活世界――彼らはどんな現実を生きているか』大月書店：329-362.

全国児童養護施設長研究協議会，2006『全国児童養護施設長研究協議会第60回記念大会（資料）』．
全国児童養護施設協議会編，2006「平成17年度児童養護施設入所児童の進路に関する調査報告書」『全国児童養護施設長研究協議会第60回記念大会（資料）』：433-447．
全国社会福祉協議会児童養護施設協議会，2010『もっと、もっと知ってほしい児童養護施設（改訂版）』（http:www.zenyokyo.gr.jp/motto.pdf）．
全国社会福祉協議会養護施設協議会編，1990『作文集　続泣くものか――子どもたちからの人権の訴え』亜紀書房．

西田芳正(にしだ よしまさ)　[序章・第3章・終章担当]　大阪府立大学人間社会学部准教授
〈主な業績〉
「貧困・生活不安定層における子どもから大人への移行過程とその変容」『犯罪社会学研究』(日本犯罪社会学会) 第35号 38-53頁 (2010)
「遊びと不平等の再生産」部落解放・人権研究所編『排除される若者たち――フリーターと不平等の再生産』解放出版社 (2005)

妻木進吾(つまき しんご)　[第1章・第5章担当]　大阪市立大学文学研究科特任講師
〈主な業績〉
「本当に不利な立場に置かれた若者たち――フリーターの析出に見られる不平等の世代間再生産」部落解放・人権研究所編『排除される若者たち――フリーターと不平等の再生産』解放出版社 (2005)
「野宿生活:『社会生活の拒否』という選択」『ソシオロジ』(社会学研究会) 第48巻第1号 21-37頁 (2003)

長瀬正子(ながせ まさこ)　[第2章・第4章担当]　常磐会短期大学講師
〈主な業績〉
「児童養護施設における子どもの権利擁護に関する一考察――『子どもの権利ノート』の全国的実態とテキスト分析を中心に」『社会福祉学』(日本社会福祉学会) 第46巻第2号 42-51頁 (2005)
「社会的養護のもとで暮らす子ども・若者の参加――児童養護施設における子どもの権利擁護の取り組みに注目して」『社会問題研究』(大阪府立大学人間社会学部) 第54巻第1号 61-82頁 (2004)

内田龍史(うちだ りゅうし)　[第6章・第7章担当]
大阪市立大学大学院文学研究科都市文化研究センター／部落解放・人権研究所研究員
〈主な業績〉
白谷秀一・朴相権・内田龍史編著『実践はじめての社会調査――テーマ選びから報告まで』自治体研究社 (2009)
「フリーター選択と社会的ネットワーク――高校3年生に対する進路意識調査から」『理論と方法』(数理社会学会) 第22巻第2号 139-153頁 (2007)

児童養護施設と社会的排除
家族依存社会の臨界

2011年3月25日　初版第1刷発行

[編集・発行] (社)部落解放・人権研究所
〒552-0001　大阪市港区波除4-1-37　HRCビル8F
TEL 06(6581)8572　FAX 06(6581)8540

[発売元] (株)解放出版社
〒552-0001　大阪市港区波除4-1-37　HRCビル3F
TEL 06(6581)8542　FAX 06(6581)8552

東京営業所　東京都千代田区神田神保町1-9　稲垣ビル8F
TEL 03(3291)7586　FAX 03(3293)1706
振替00900-4-75417

[装丁] 畑佐 実
[カバー写真] 伊原 秀夫
[印刷] (株)国際印刷出版研究所
ISBN978-4-7592-6741-9　NDC369.4　215P　21cm

乱丁・落丁おとりかえします。定価はカバーに表示しています。